L'anarchie tranquille au «mobilier»

DE LA C.E.C.M.

Une division de l'Agence littéraire d'Amérique inc.
50, rue St-Paul Ouest
Bureau 100
Montréal (Québec) H2Y 1Y8
Téléphone: (514) 847-1953
Télécopieur: (514) 847-1647

Illustration:
Hélène Leblanc

Composition et montage:
Publinnovation enr.

Correction d'épreuves:
Jacques St-Amant
Magali Blein

Distributeur:
Québec-Livres
4435 boul. des Grandes-Prairies
Saint-Léonard (Québec) H1R 1A5

Dépôt légal: 2e trimestre 1994

ISBN 2-921378-37-X

Alphonse Monnier

L'anarchie tranquille au «mobilier» DE LA C.E.C.M.

LES PRESSES D'AMERIQUE

Cher lecteur, vous êtes mon seul juge.
Je remets mon esprit entre vos mains.
Je n'ai pas la prétention d'être un écrivain,
j'écris comme ça vient.

Avant-propos

Règle générale, écrire un livre n'est pas l'ouvrage d'un col bleu. L'exception confirme la règle. Ce récit est un abrégé des faits vécus par l'auteur (période 1953 à 1979).

Dans le train

– Mon Ti-Phonse, faut qu'tu finisses par te caser. T'as trente-huit ans, t'es marié, trois enfants, un quatrième qui annonce sa venue. T'es pas riche, t'es quand même chanceux d'avoir une femme courageuse qui a, comme toi, traversé la crise des années trente, la guerre de quarante. On vient à bout de vivre avec le strict nécessaire. Comme atouts, on a la santé, on aime rigoler, les enfants sont beaux, intelligents, avec toutes les qualités de leur mère, une belle grande blonde originaire de Mont-Laurier.

– Mon Ti-Phonse, t'as pas réalisé grand-chose dans ta vie. T'as fait douze métiers, treize misères : livreur, jardinier, menuisier, vitrier, agent d'assurances; t'as travaillé dans les chantiers, sur les barrages, sur les lignes de chemin de fer, t'as fait du taxi. Faut qu'tu finisses par te brancher, ça prend un minimum de sécurité pour être chef de famille.

– Dieu merci, t'es pas un courailleux, t'es pas porté sur la bouteille, t'es considéré comme un honnête homme, bon travailleur.

Tout cela défilait dans ma tête, dans le train qui me ramenait chez moi à Val-David, après la fin des travaux du barrage de la Manouane, au nord de La Tuque.

– Ouais, j'vais aller voir monsieur Linteau. Il me connaît, il connaît surtout mon père et mon frère Lucien qui ont fait des travaux à sa résidence de Notre-Dame-de-Grâce. C'est un homme influent, monsieur Linteau, ex-président de la United Auto Parts[1] et maintenant contrôleur du budget à la Commission des écoles catholiques de Montréal (C.E.C.M.).

Monsieur Linteau

L'employé à la réception m'examine de la tête aux pieds, essayant d'évaluer l'importance du sujet qui s'adresse à lui.

Évidemment, monsieur Linteau, un grand patron de la C.E.C.M. qui comptait au-delà de quatre cents écoles qui, à l'époque, n'étaient pas des coquilles vides, on ne le rencontrait pas à l'improviste. Je n'avais rien d'un haut personnage, ni l'apparence, ni la tenue vestimentaire. C'est pourquoi le préposé à la réception semblait hésiter à me répondre. Enfin il me dit :

– Monsieur Linteau, on ne le rencontre pas comme on veut. Avez-vous un rendez-vous ? C'est-y important ? Est-ce qu'y vous connaît ?

Après mes explications, il me dit que le mieux à faire dans les circonstances, c'était d'attendre. Il n'est pas là pour le moment.

– Viendra-t-il ? Viendra-t-il pas ?

– Je l'ignore, il est pas "timé"[2]. Y met son «char» à côté d'l'entrée, son nom est sur la plaque.

À l'époque, les bureaux d'administration de la C.E.C.M. étaient situés où se trouve maintenant la Place des Arts. C'était une section de l'ancienne école Le Plateau. L'édifice de l'époque victorienne avait beaucoup de cachet. Ça m'avait impressionné.

---

1 De Légaré Automobiles et autres considérations.

2 N.D.A.: Les mots ou expressions mis entre guillemets "-" sont des anglicismes et sont prononcés à l'anglaise à la sauce québécoise.

Donc j'ai poireauté deux ou trois heures en mangeant des cacahuètes et en lorgnant la place de son «char».

– Bonjour, monsieur Linteau!

Il est dans la cinquantaine, plutôt trapu, sûr de lui, un tantinet goguenard, le prototype de l'homme «qui a réussi», ami du pouvoir, copain de Duplessis (un atout majeur), originaire de la région de Québec, un pure laine.

– Alphonse Monnier, Alphonse Monnier ? Ça me dit quelque chose. Oui, oui, t'es le frère de Lucien.

Lucien, il le connaît. Il aurait aimé l'avoir pour gendre, c'était le plus débrouillard de la famille, qui comptait cinq enfants.

– Bon, bon, entre dans mon bureau, on va voir c'qu'on peut faire.

Ça n'a pas pris une éternité, j'ai été engagé sur-le-champ, menuisier affecté à l'atelier du *Mobilier* de la C.E.C.M. Il apposa sa signature sur la formule, laissant tous les autres détails à compléter par le bureau voisin du sien.

– Tu peux commencer aujourd'hui ?

– Euh, il est trois heures, puis mes outils, j'vais les avoir demain, ils sont à Val-David.

– Alors disons demain matin, si tes outils sont pas arrivés, tu diras aux autres qu'ils t'en prêtent.

Sur ce, il téléphona au "surintendant" du *Mobilier* pour l'aviser qu'il lui envoyait une bonne recrue.

Ça commençait à m'inquiéter. Le "surintendant" en question, ce devait être sans aucun doute un brillant technicien bardé de diplômes. Serai-je à la hauteur ? Mon complexe d'infériorité prenait le dessus. Dans mon subconscient, la grande ville était peuplée de surdoués.

L’atelier du *Mobilier*

J’arrive au *Mobilier*, 5709, rue Boyer, une école récemment convertie en atelier, avec l’approbation de monsieur Linteau.

Trois étages. En bas travaillent les journaliers, qui s’occupent surtout du décapage des pupitres et du mobilier à rénover, et les sableurs, qui remettent le bois à l’état vierge.

Au deuxième, il y a les bureaux, la machinerie et les menuisiers pour la fabrication, et surtout pour les réparations.

Au troisième se trouvent les peintres pour la finition et le magasin d’approvisionnement. Au total, une quarantaine d’employés et une vingtaine d’autres qui vont de l’atelier aux écoles et vice versa.

À mon arrivée, par l’entrée de service, un employé peinturait les contremarches de l’escalier. En attendant qu’il libère le passage, il me jeta un clin d’œil complice et, pendant que j’étais immobile devant lui, il peintura mes godillots passablement défraîchis en un noir émail de toute beauté. Ce fut mon premier contact avec un futur confrère. J’ai interprété son geste comme un signe de bienvenue.

Monsieur Rousseau S.V.P.

La secrétaire annonça mon arrivée au “surintendant”, un homme dans la trentaine, d’allure modeste, très poli.

– Oui, monsieur Monnier, monsieur Linteau m’a mis au courant. Allez voir la secrétaire pour vous enregistrer et présentez-vous ensuite au contremaître, monsieur Tremblay.

Jusqu’à maintenant, ça allait bien, pas de questions sur mes aptitudes, pas d’examen, pas d’autres formalités.

– Monsieur Tremblay ?

– Ouais, c’est moi !

C’était un homme dans la cinquantaine, de taille moyenne, sans signe particulier sauf peut-être son langage peu raffiné.

– On m'a engagé comme menuisier et monsieur Rousseau m'a dit de m'adresser à vous.

– Ouais, bon ben, installez-vous dans ce coin-là avec vos outils.

– Mes outils, j'les attends aujourd'hui ou demain. J'arrive de la campagne.

– Tu parles d'une affaire, un menuisier pas d'outils !

– Bien, j'en ai parlé à monsieur Linteau et il m'a dit qu'en attendant on pourrait peut-être...

– Ah... euh... ah oui ? Ouais.

Et, s'adressant à mon futur voisin d'établi :

– Bon ben, passez-y donc un ou deux de vos outils, puis montrez-y c'qui y a à faire.

Réflexion en passant :

– Ça va donc bien quand on a un bon «poteau». Un «poteau», c'est le personnage influent qui nous a recommandé.

Mon voisin d'établi, monsieur Campeau, un rondouillard sympathique dans la cinquantaine, m'a montré ce qu'il y avait à faire. C'était pas compliqué, tu pigeais dans le tas à réparer, tu resserrais des vis, des boulons, tu remplaçais des pièces irréparables et tu plaçais l'objet réparé près de l'ascenseur. De temps en temps, le contremaître, en principe, examinait l'ouvrage rapidement. Ça descendait en bas chez les sableurs avant de remonter en haut chez les peintres pour la finition. C'était la routine.

Étant observateur, c'est chez moi un penchant naturel, j'avais eu le temps de remarquer que certains roublards choisissaient les meubles à réparer les moins endommagés.

Trois heures plus tard...

– Bon ben, Bonnier ? Bernier ? (C'est monsieur Tremblay qui m'interpelle.) Bon ben, vous allez aller au sablage, v'nez avec moi.

Au sablage

On faisait surtout du “scrapage”, c’était indispensable sur au moins les trois quarts des meubles, surtout des pupitres en bois dur. Le “scrapage” consistait à racler, parfois assez profondément, le fini verni des pupitres et des sièges mutilés par les élèves.

Le “scrapeur” (non, ce n’est pas dans le dictionnaire !) désigne l’homme qui “scrape”; il désigne aussi l’outil qui sert à “scraper”. J’avais déjà travaillé quelquefois avec un “scrapeur” d’ébéniste sur du travail qui ne tolérait aucune imperfection. Je n’étais pas expert en la matière.

– Bon ben, monsieur Coderre, passez-y donc un d’vos “scrapeurs”, pis montrez-y c’qui y a à faire.

Mes nouveaux confrères, c’était de braves gens peu compliqués, ne refusant jamais un service. C’est dans les mœurs de la classe laborieuse.

Monsieur Coderre m’a passé un bon “scrapeur”. Ce qu’il y avait à faire, je le voyais très bien, il fallait “scraper”.

– Le “bournicheur” est sur l’établi, me dit-il (ne cherchez pas dans le dictionnaire).

Je dois donner quelques explications au lecteur. Un “scrapeur”, c’est un racloir qui sert à «éplucher» les surfaces en bois dur. Le “bournicheur” est l’outil qui sert à affiler et à entretenir le mordant du “scrapeur”. Un “scrapeur” (l’outil) de l’atelier du *Mobilier* de la C.E.C.M. ne ressemble aucunement au “scrapeur” de l’ébéniste, ni à aucun autre modèle sur le marché. C’est, par comparaison, un «char» d’assaut à côté d’une voiture.

Le “scrapeur” (l’outil) du *Mobilier* est fabriqué sur place, par l’ouvrier lui-même avec un morceau d’acier à “spring”, soigneusement choisi, d’environ deux pouces et demi de large. Il y en a même qui sont experts dans le choix du métal. L’outil est muni d’une poignée en bois “home made”.

L’extrémité de la lame est amincie, aiguisée à la perfection, puis recourbée énergiquement à un certain angle à l'aide du "bournicheur".

Le "bournicheur" est un outil cylindrique de huit à dix pouces de long, en acier durci, poli comme un miroir, de la grosseur de l'auriculaire masculin. Son extrémité se termine en une pointe d'environ trente-cinq degrés. L'outil, muni d'un manche en bois, est fabriqué par l'ouvrier lui-même.

Le "bournicheur" est indispensable. Il sert à affiler le "scrapeur", sur le dessus avec la tige et sur le dessous avec la pointe de trente-cinq degrés, et l'opération doit être répétée souvent pour lui donner toute son efficacité.

Le “scrapeur” et son “bournicheur”

Affiler un “scrapeur”, c’est tout un art. L’ouvrier qui n’a pas ce don est à plaindre; il va s’échiner, maugréer, s’épuiser à gratter, en regardant avec envie son copain qui a le «don» et qui sort de magnifiques épluchures avec une évidente satisfaction. Je dois avouer que je demandais souvent à monsieur Coderre, qui avait le «don», de passer le “bournicheur” sur mon “scrapeur”. Ça le faisait sourire. Sacré monsieur Coderre! J’en garde un excellent souvenir. Finalement, à force de persister et de me répéter que je n’étais pas plus bête qu’un autre, au bout de deux jours j’étais arrivé pas loin de la perfection. Je puis affirmer que cet outil est un des chefs-d’œuvre de débrouillardise des travailleurs qui sont en contact direct avec la tâche à accomplir.

Ça allait, j’aimais ça. Amenez-en des pupitres. On laissait la finition du sablage à ceux qui n’avaient pas le «don».

Les portes

– Euh ? Moineau...

C’était le père Tremblay qui m’interpellait. Instinctivement, je l’appelais le père Tremblay, il m’était devenu sympathique, il n’était pas compliqué. Dans le fond, c’était un bon diable, même s’il ne tombait jamais sur mon nom. Moineau, Monnier, la différence n’empêchait pas la terre de tourner.

– Bon ben, montez au bureau, y veulent vous voir.

– Qu’est-ce qu’ils me veulent ?, me demandai-je.

– Monsieur Monnier, d’après votre dossier, vous avez travaillé dans les portes et châssis (châssis, ça veut dire fenêtre en québécois).

– En effet, pendant une dizaine d’années.

– Vous faisiez quoi au juste ?

– Fallait tout faire; nous étions cinq employés, j’étais le traceur.

– Vous avez laissé votre emploi vous-même ?

– Oui, l'ouvrage se faisait rare et les salaires étaient pas fameux.

– On a des portes à faire pour l'entrepôt en construction dans l'fond d'la cour, on a pensé à vous.

– Vous avez bien fait, c'est mon métier.

Je me revoyais à Val-David, où je travaillais pour le "boss" Léo Piché. On sortait beaucoup d'ouvrage pour cinq employés; il y avait un boom de construction, surtout des chalets pour touristes.

Mon métier de traceur, je l'avais appris de mon père, d'origine française. Le traçage au parement(3) n'avait aucun secret pour moi.

En outre, j'avais conclu une entente avec mon "boss". Je faisais le vitrage à mon compte en dehors de mes heures de travail. Je n'avais aucune concurrence, c'était un travail que personne ne voulait faire. Moi, j'aimais ça, j'y étais devenu habile et, en plus, c'était payant. J'achetais la vitre à la caisse, le mastic aux cent livres, j'avais tout l'outillage : table graduée, diamant et pistolet pour fixer les vitres. Le prix du vitrage était calculé au pied carré. Je présentais ma facture au "boss", qui se réservait vingt pour cent, selon notre entente, et le prix était rajouté au client.

Quand je présentais ma facture, ça me faisait toujours sourire. Mon "boss" se grattait la tête et se demandait comment je calculais ça si rapidement. Je lui avais expliqué mon système, la liste des grandeurs de vitres converties en décimales.

– Monsieur Piché, c'est exactement comme calculer de l'argent.

Mon "boss", c'était un homme habile, un bon type, mais son instruction, comme la plupart des gens de notre généra-

---

3 Technique associée au marquage du bois permettant dès le départ d'établir une stratégie d'assemblage qui tienne compte de l'apparence finale du produit.

UN SCRAPEUR SCRAPANT
AVEC SON SCRAPEUR

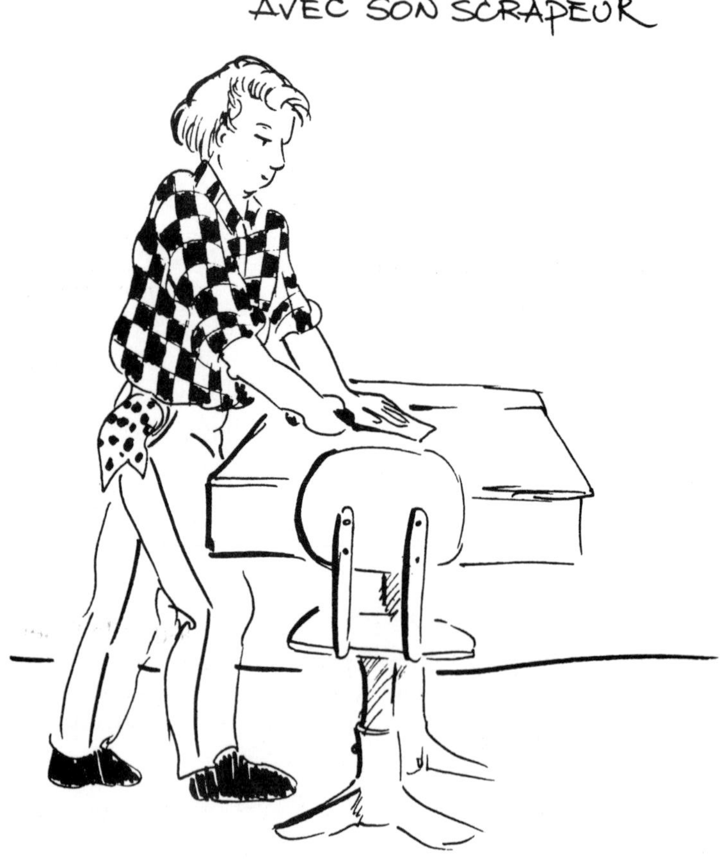

tion, était rudimentaire. Les décimales, les centièmes, le système métrique, c'était la forêt vierge pour lui. Il en avait pour la veillée à vérifier tout ça avec l'aide de sa femme et de son homme de confiance, vulgairement appelé «téteux».

Il faut croire que mes calculs étaient justes, puisque je n'ai jamais eu de plainte.

Mais revenons au *Mobilier*. Après cet entretien préliminaire, le directeur m'a référé à monsieur Desrosiers, l'assistant du père Tremblay.

Monsieur Desrosiers

Monsieur Desrosiers, un homme dans la trentaine, affable et bien éduqué, m'a montré les plans. Ce n'était pas tellement compliqué, c'était du standard.

– Monsieur Monnier, je me fie à vous. Les portes et châssis, c'est une spécialité qu'on connaît pas tellement, même pas du tout.

Huit portes, ça prend environ tant de madriers de deux pouces, telle largeur, telle longueur. Je me préparais à aller les chercher dans la remise.

– Pas si vite, monsieur Monnier, on va vous fournir de l'aide. C'est pas vous qui allez transporter ça, on a des journaliers.

Va pour le journalier, qui était bien content de sortir de la routine quotidienne. On m'a aussi fourni un menuisier. En fin de compte, en dehors du traçage et du réglage des machines, je donnais les directives. C'était la première fois de ma vie que j'étais payé en regardant travailler les autres.

L'assistant contremaître venait voir souvent comment ça marchait. Ça marchait bien. Il semblait rassuré, sa réputation était en jeu.

Les portes terminées ont été confiées à un autre menuisier pour la pose des vitres avec les moulures coupées à l'onglet, ce qui a pris une éternité alors qu'un vitrage au mastic aurait été plus étanche et au moins vingt fois moins long.

J'ai essayé de faire une comparaison de prix avec ceux de Val-David, compte tenu du temps et des salaires des employés, mais j'ai arrêté, je commençais à avoir le vertige.

Mission accomplie, je suis redescendu au sablage.

Installation des établis

– Euh, Saulnier ! (C'est le père Tremblay qui vient me voir.) Préparez vos outils, puis vous embarquerez avec lui dans l'camion pour aller à Saint-François-Xavier (l'école). Y vont vous donner les instructions au bureau.

«Lui», c'était Arthur Lafortune, un jeune homme engagé quelques jours avant moi.

Au bureau, on m'a remis le plan pour l'installation d'établis pour élèves dans une future classe de travaux manuels.

Il y avait maintenant plusieurs nouveaux au *Mobilier*. L'augmentation du personnel était l'effet du baby-boom : de nouvelles écoles se construisaient un peu partout.

Donc, outre les plans, on m'a remis l'outillage adéquat : perforeuse à ciment, douilles de plomb, tire-fond pour fixer les établis. Au *Mobilier*, on était bien outillé et le magasin d'approvisionnement était bien garni.

Mon compagnon Arthur, dans la vingtaine, était très efficace : aucun geste inutile, aucun problème; j'ai beaucoup apprécié. Cependant, il m'a fait remarquer une chose qui m'avait échappée. On faisait des installations dans cette nouvelle école et il y avait des peintres au travail.

– As-tu remarqué, me dit-il, le peintre qui est venu trois ou quatre fois nous observer ?

– Non, j'ai pas remarqué.

– Sais-tu qui c'est ?

– Non.

– C'est l'frère du "surintendant"; d'après moi, il nous surveille.

– Tu crois ? De toute façon, on a fait notre ouvrage, on s'est pas amusés, moi, ça m'inquiète pas. J'vais aller téléphoner et les informer que l'ouvrage est terminé.

C'est à ce moment-là que «le frère» en question s'est approché de nous.

– Vous avez fini ?

– Ben oui, pourquoi ?

– Vous êtes deux beaux caves !!

– Comment ça ?

– Ça paraît qu'vous êtes nouveaux, vous êtes en train d'gâter la sauce. C'était une «job» d'au moins trois jours, pis ça n'vous a même pas pris la journée.

– Excuse-nous, on savait pas.

Des cours d'anglais

Dans les premières semaines de mon emploi au *Mobilier*, en attendant de me trouver un logement en ville, qui à l'époque étaient extrêmement rares, je suivais des cours du soir pour améliorer mon anglais rudimentaire.

Nous étions installés dans une classe enfantine de deuxième année; on s'assoyait très mal, de travers ou plié en deux. Le prof, un Irlandais nouvellement arrivé au pays, ne parlait pas un mot de français et ne pouvait communiquer avec les débutants. Il consultait son dictionnaire anglais-français à tous les deux mots et était tout éberlué que certains mots aient la même orthographe et la même signification dans l'une ou l'autre langue. J'étais obligé de servir d'interprète. Finalement, j'ai décroché.

Ne cherchons pas à comprendre les arcanes de la fonction publique.

Les “boss”

Il faut reconnaître qu’ils n’étaient pas achalants. Ceux du bureau, on ne les voyait à peu près jamais, et ce, pour deux raisons : premièrement, ils entraient par la porte d’entrée et les employés par la porte de derrière, et deuxièmement, ils en connaissaient pas plus que nous, et probablement moins. Ils se contentaient «d’administrer». Le “surintendant”, je l’ai aperçu une ou deux fois pendant quelques secondes, il rasait les murs comme quelqu’un qui veut passer inaperçu, c’était du moins mon impression.

J’en apprenais chaque jour sur le “pedigree” de nos dirigeants.

«Selon des sources bien informées», le père Tremblay, c’était un ancien boucher épicier. L’homme de confiance au sablage, c’était un ancien barbier; l’assistant du “surintendant”, un ex-journalier; le “surintendant”, un ancien employé de bowling.

Évidemment, les antécédents ne signifient pas toujours un manque de compétence, mais ce sont quand même des indices.

Leur qualité primordiale c’était qu’en politique, ils étaient tous «du bon bord».

Le “boss” dominant siégeait au grand bureau d’administration : monsieur De Montigny, un ancien frère enseignant. Il contrôlait tout le personnel de soutien, y compris les concierges d’écoles, un pouvoir considérable. C’était un homme distingué, cultivé, poli, le parfait gentleman. Ça, c’était le beau côté de la médaille. L’envers était sordide. Tout employé passait par ses griffes et devait déclarer par qui il avait politiquement été «recommandé». Tout nouveau concierge devait payer un tribut selon l’importance de l’école qui lui était destinée. L’employé était considéré selon la solidité de son «poteau». Il exploitait ses subordonnés à l’os, c’était phénoménal. Il se faisait trimbaler pour ses courses ou ses visites pendant les heures de travail (il n’avait pas de voiture).

Les fins de semaine, quand il visitait sa parenté en Estrie, il réquisitionnait un «volontaire» comme chauffeur, tout cela sans compensation. Il avait aussi ses «préférés» chez qui il allait se faire rincer le gosier, il avait un penchant pour la bouteille. Il était toujours fauché. Bref : plus corrompu que ça, tu meurs.

Nous n'avions pas de sécurité d'emploi, pas de syndicat et aucune fête payée. La pire période pour les employés était justement la période des fêtes. L'ouvrage ne manquait pas au *Mobilier*, on faisait même des heures supplémentaires. Malgré cela, De Montigny nous avait fait remplir un questionnaire uniquement pour savoir par qui nous avions été recommandés, s'était payé le luxe de fermer l'atelier pour une période indéterminée, le temps de préparer une nouvelle liste de tarifs à imposer à ses protégés. Bouleverser la vie des travailleurs et de leur famille était pour lui le moindre de ses soucis.

– Inutile de vous présenter ou d'appeler, nous avait-on dit, on vous appellera nous-mêmes.

C'était tout simplement odieux.

Donc, j'ai attendu comme les autres, avec assurance-chômage et quelques travaux accessoires. Deux semaines s'étaient écoulées et certains confrères avaient été rappelés. Chez moi, aucun appel, ce que je trouvais bizarre vu l'importance de mon «poteau». Je constatai plus tard par hasard que le numéro de téléphone inscrit à mon dossier était erroné. Le commis qui avait dû m'appeler à ce numéro-là n'a pas fait l'effort de consulter le bottin téléphonique pour faire une vérification. Faut pas trop en exiger de nos braves fonctionnaires. Depuis cet incident, j'ai toujours conservé une certaine méfiance pour tout ce qui émanait du bureau. Petites causes, grands effets. Le «racket» De Montigny a subi un dur coup avant de disparaître totalement.

Ignorant cette erreur, j'ai décidé quand même de me présenter à mon travail et, en cas de refus, d'appeler mon «poteau» Linteau, chose que je détestais, mais je n'avais pas d'autre choix.

À l'atelier, j'ai donné mon nom au commis, l'horloge pointeuse étant détraquée. On m'a envoyé faire des travaux dans une école, puis je reçus un appel désespéré du commis qui ne trouvait pas mon nom sur la liste des élus.

– On peut pas t'inscrire sur la liste de paie, me dit-il.

– Fais-toi pas de bile, lui ai-je répondu. Je m'occupe du problème.

J'essayais entre temps de contacter mon «poteau», en vain. Finalement, j'ai appelé ma femme qui a pris la relève. Le dossier De Montigny, elle le connaissait de A à Z. C'était ma meilleure avocate, je connaissais ses talents et j'étais en bonnes mains.

J'ai fait ma journée de travail comme d'habitude. De retour chez moi, ma femme m'a fait son rapport.

– Ton monsieur Linteau, il est pas facile à accrocher, me dit-elle. Sa secrétaire filtre les appels. Mon nom ne lui disait rien. J'ai insisté, lui disant que c'était grave et que ça se passait au *Mobilier.* Finalement, j'ai eu monsieur Linteau au bout de la ligne et lui ai fait part des événements, de ton cas en particulier. Il était furieux. J'voudrais pas être dans les bottines à monsieur De Montigny. Il ne l'a pas en odeur de sainteté, il m'a dit carrément que c'était un dégueulasse.

– Madame Monnier, je m'occupe de ça immédiatement, je ferai enquête...

L'affaire était réglée, du moins temporairement.

Les pupitres «Mobiles»

Mon port d'attache est toujours au sablage.

Le père Tremblay s'en vient me voir.

– Bon, ben, euh! Maillé, vous allez «embarquer» avec eux pour aller à Saint-François-Xavier (l'école nouvelle).

Nous étions plusieurs, en majorité des journaliers, pour aller meubler l'école avec les pupitres dernier modèle, les pupitres «Mobiles». Nous avions à notre tête un chef d'équipe.

Le «Mobile»

Les «Mobiles» avaient comme largeur de coffre, du plus petit au plus grand, 22", 24", 26" et 28", autrement dit un 22" «Mobile», un 24" «Mobile», etc. C'était un pupitre de très bonne qualité, en bois dur, vissé sur une base en fonte. Il était réglable en hauteur pour le siège et pour le coffre, et en distance selon la corpulence de l'élève. On l'appelait «Mobile» parce qu'il n'était pas vissé au plancher comme ses prédécesseurs. Quelques années plus tard, nous avons eu le «Mobile» H.S., pour "High School", avec un coffre plus volumineux. Les premiers «Mobiles» légèrement différents étaient des J.O., non pas en l'honneur des Jeux olympiques, mais en l'honneur de leur promoteur, J.O. Linteau, qui avait d'ailleurs un modèle miniature qui trônait sur son bureau, ce dont il était très fier.

Meubler une école, ça veut dire trimbaler des meubles, surtout des pupitres. Ça ne faisait pas le bonheur de tout le monde. Les plus grands pupitres, qui pesaient quatre-vingt-huit livres (oui, je les ai pesés !), s'installaient en haut, le plus souvent au troisième étage de bâtiments sans ascenseur.

J'avais déjà fait du «meublage» (ça fait six mois que je suis au *Mobilier*). On m'avait «chargé» de monter des 28" «Mobiles» pour deux classes (soixante-dix pupitres), évidemment au troisième étage d'une ancienne école plus haute que les nouvelles. Je faisais des travaux dans cette école et l'on m'a dit que l'on m'enverrait du «bœuf».

En attendant le «bœuf», j'ai tâté le morceau, ça se plaçait bien sur l'épaule munie d'un protecteur, en l'occurrence un carton double épaisseur. Ça se montait bien sans prendre l'épouvante. Le «bœuf» est arrivé, c'était un menuisier d'un certain âge que je ne connaissais pas, il était plutôt sympathique. Je dois dire en passant que, à part deux ou trois exceptions, je trouvais la plupart de mes confrères sympathiques.

LE CHARRIEUX DE MOBILES,
UN HOMME ÉQUILIBRÉ.

Le «charrieux» de «Mobile»

Le nouvel arrivé m'avoua franchement qu'il ne pourrait faire ce travail, qu'il était cardiaque en plus d'être asthmatique, qu'on l'envoyait m'aider parce qu'on manquait de journaliers, vulgairement appelés journalistes.

Je le croyais sans peine, le pauvre homme, c'était loin d'être un athlète. J'avais, entre temps déjà, monté une vingtaine de pupitres, donc j'ai continué au même rythme et lui m'attendait en haut. Je n'ai pas eu la peine de les compter, il m'a affirmé qu'il y en avait bien trente-cinq par classe, bien époussetés, bien alignés.

À partir de cette époque, c'était prioritaire, je faisais surtout de l'ouvrage de journalier. Ça ne changeait pas mon salaire et je ne détestais pas ce travail. D'ailleurs, j'aimais toujours mon travail, quel qu'il fût.

À l'école Saint-François-Xavier

Ça allait bon train, mais il ne fallait pas essayer de comparer ceux qui en faisaient plus et ceux qui en faisaient moins. Il faut être charitable, il y en a qui sont allergiques à l'ouvrage. J'avais remarqué que ceux qui travaillaient le moins étaient toujours les plus fatigués, mais ils se trouvaient ragaillardis à l'heure du départ. J'ai quand même bien rigolé au cours de ces travaux et je vais vous dire pourquoi.

Donc, au milieu de la pause du midi, laquelle pause était rallongée des deux bouts comme vous vous en doutez, nous étions dans la grande salle où il y avait un micro installé sur la scène. Alors, nos cabotins du groupe s'en sont donnés à cœur joie, nous contant des blagues, des histoires salées. Le clou du spectacle, c'est la vedette du groupe qui nous l'a donné avec une chanson tellement... euh... (vous savez ce que je veux dire) eh bien, c'était encore pire que ça.

Ce qu'on savait du micro, c'est qu'il y avait eu la veille une assemblée politique pour l'élection de Jean Drapeau. Ce que nous ignorions, c'est qu'il y avait à l'extérieur des haut-parleurs qui fonctionnaient à merveille. La police est arrivée, ça a fait sensation. Notre vedette en est restée bouche bée. C'était pas prévu dans le spectacle.

– Hé, le "smatte"[4] ! T'es mieux d'arrêter ton "show", on t'entend jusqu'au parc Lafontaine.

J'en rigole encore.

Le nettoyage par le vide

Vers la fin des années cinquante, le "surintendant" se faisait construire un chalet du côté de Pointe-Calumet. Des «sympathisants» demandaient des volontaires pour aller travailler bénévolement le samedi pour notre bien-aimé.

Ma réponse était NON !!

C'était contraire à mes principes. Ces mêmes sympathisants faisaient aussi des collectes pour offrir un cadeau de Noël aux "boss". C'était NON !! Faire des cadeaux aux "boss", je trouvais ça dégradant. Mais quand les confrères se sont cotisés pour aider un des nôtres, blessé à la suite d'un accident de travail, alors ma réponse a été OUI !!

Donc, le "surintendant" se faisait construire un chalet. Une partie importante des fournitures, autrement dit tout ce qui faisait l'affaire, provenait du *Mobilier*, ce n'est pas peu dire.

L'ambition fait périr son maître.

Au *Mobilier*, les réflexes étaient politisés. Il y avait des envieux qui, eux, n'avaient pas accès à l'assiette au beurre. À leur tête, il y avait monsieur Lamarre, un homme d'un certain âge. En fait de travail, il n'en écrasait pas épais. Par contre, il soutirait tout ce qu'il pouvait, c'était un rusé. Ainsi, pour les transports du *Mobilier* aux écoles, ou d'une école à l'autre, le *Mobilier* accordait à celui qui fournissait sa voiture deux billets d'autobus plus un billet par passager pour un aller et

4 De l'anglais "smart": brillant, par dérision: imbécile.

autant pour un retour. Le père Lamarre calculait son affaire pour faire le plus de transports possibles et souvent inutiles; il gonflait ainsi l'addition de billets. Il avait eu aussi le culot de se faire passer pour le beau-frère de monsieur Linteau, ce qui lui donnait une certaine «autorité» dont il profitait ignominieusement.

En ce qui concerne le trafic *Mobilier*–Pointe-Calumet, sa principale occupation était de noter tout ce qui sortait de l'atelier à destination de Pointe-Calumet et il avait un réseau d'informateurs très bien organisé. Quand il jugea que la liste était digne d'être présentée au grand "boss" Linteau, il la lui présenta. L'enquête fut brève, la décision du grand "boss" radicale. Tout le monde, du moussaillon au commandant, fut flanqué à la porte et l'atelier cadenassé.

Les rescapés

Après deux mois de purgatoire, pendant lesquels on survivait comme on pouvait, je reçus une invitation à revenir au bercail.

Je travaillais alors à la canalisation du Saint-Laurent, mais l'ouvrage tirait à sa fin. Les derniers arrivés étaient les premiers sortis, selon un principe immuable propre aux syndicats. Donc, j'ai répondu à l'invitation.

Mon lieu de travail était maintenant contigu aux bureaux d'administration de la rue Sherbrooke.

Comme tout organisme politique qui se respecte, le programme de la C.E.C.M., et par conséquent du *Mobilier*, accusait un sérieux retard. Les "Baby Boomers" exigeaient des écoles et du mobilier de toute urgence. Gouverner, c'est prévoir; tirez vos conclusions.

Il y avait eu du brasse-camarades, des mutations et des congédiements : les messieurs De Montigny et Rousseau flanqués à la porte ainsi que plusieurs de leurs acolytes; le père Tremblay rétrogradé de contremaître à simple menuisier, même s'il n'était pas menuisier.

Il faut bien comprendre qu'au *Mobilier*, on n'exigeait pas de certificats officiels pour les menuisiers. J'étais un des rares détenant une carte de menuisier charpentier émise par le comité paritaire et valable pour tout le Québec.

Donc, le père Tremblay, relégué dans un sous-sol d'école, réparait des chaises du matin au soir. Ça me faisait un peu de peine, je m'étais habitué à lui, même si lui ne s'était pas habitué à mon nom. Malgré son air bougon, c'était un bon diable.

Il y avait maintenant plusieurs nouveaux parmi nous. Les menuisiers survivants agissaient assez souvent comme chefs d'équipe. On assemblait des «Mobiles» par centaines avec les pièces détachées que nous recevions des fournisseurs.

La nature ayant horreur du vide, nous avons eu d'autres "boss" et quelques promus. Les menuisiers comme moi étions souvent appelés à diriger les journaliers pour meubler les écoles. Nous avions le titre de chef d'équipe. Il y avait les chefs d'équipe permanents et les chefs d'équipe temporaires. Je faisais partie des seconds.

Pour un groupe de six à huit, ou plus selon les besoins, le chef d'équipe permanent choisissait habituellement la «crème». Les laissés-pour-compte allaient au chef d'équipe temporaire. Parmi eux, on pouvait trouver un ou deux «originaux», ou quelque peu caractériel, un ou deux flancs mous, quelquefois un alcoolique. Il ne servait à rien de leur faire la morale. Dans le groupe, il se trouvait toujours un "leader" auquel je confiais quelques responsabilités selon ses capacités et j'agissais avec eux comme avec tout le monde. Entre eux, quand ils n'étaient pas harcelés, ces gens-là s'entendaient bien et faisaient leur boulot.

Mort de Maurice Duplessis

Après la mort de Maurice Duplessis, en 1959, son successeur Paul Sauvé décéda à son tour peu de temps après, puis nous eûmes Antonio Barrette comme premier ministre.

C'était toujours l'Union nationale au pouvoir, mais considérablement ébranlée.

Les libéraux, sous la gouverne de Jean Lesage, prirent le pouvoir en 1960. Il y eut des remous, des chambardements dans le domaine de l'éducation, la santé, la sécurité sociale, la nationalisation de l'électricité. Les francophones secouaient leurs complexes et s'affirmaient de plus en plus dans des domaines depuis toujours «réservés» aux anglophones.

C'est sous ce gouvernement que notre syndicat C.S.N. fut créé dans l'enthousiasme, avec salaires améliorés, sécurité d'emploi, avantage d'ancienneté, congés et vacances payés, etc. Nous avons été classés selon nos fonctions ou nos métiers. Ce classement était parfois compliqué. Certains «employés» ne savaient pas au juste ce qu'ils faisaient à la C.E.C.M. Aux questions : «Qui vous dirige ? Quelle est votre fonction ? Votre département ?», ils étaient bien embarrassés pour répondre. Ils l'ignoraient. Ils n'oubliaient pas cependant de changer leurs chèques de paye.

Les employés fictifs, ça existe principalement dans la fonction publique. Je vous laisse cependant le bénéfice du doute.

La révolution tranquille

Elle se faisait aussi au *Mobilier*.

Le territoire de la C.E.C.M. s'étendait de Rivière-des-Prairies à Côte-Saint-Luc inclusivement, et du sud au nord de l'Île de Montréal.

Pour ce qui est du transport aux différentes écoles, nous avions le système décrit précédemment. Nous nous étions adaptés à ce système qui avait son côté pratique. C'était plus ou moins légal et plus ou moins risqué au point de vue assurances. Parmi les premières ententes syndicat-C.E.C.M., il fut question du transport des troupes. La décision fut rapide; un bureaucrate émit un ukase : tout transport pendant les heures

LES CHOSES SIMPLES,
IL FAUT TOUJOURS ESSAYER DE
LES COMPLIQUER.
ÇA FAIT PLUS SÉRIEUX

d'ouvrage devait se faire par les véhicules de l'employeur. Ce fut tellement brusque, sans période transitoire, que les travaux en furent perturbés.

Le «BUREAUCRATE» chevronné

Nous avisions, en principe, deux heures à l'avance quand les travaux touchaient à leur fin et nous attendions le véhicule parfois pendant une journée ou plus.

Les transports du *Mobilier* étaient débordés. Même notre contremaître extérieur, submergé d'ouvrage, prenait parfois des risques et continuait avec le système révoqué.

Certains confrères essayaient la «mécanique» syndicale un peu comme des enfants essaient un nouveau jouet. Pour le transport des hommes, le véhicule devait avoir des bancs pour s'asseoir et ne transporter aucun matériel, hormis nos outils. Donc, un camion était venu nous ramasser et, dans ce camion, il y avait deux ou trois chaises brisées destinées au rebut. Nous étions six hommes, j'étais le chef d'équipe temporaire. Tout le monde embarque, sauf un.

– J'embarque pas, me dit-il.

– Pourquoi ?

– Parce qu'il y a du matériel dans le camion.

– Fais-moi pas rigoler, lui dis-je.

– C'est dans la convention, c'est dans le contrat.

Et une longue explication s'ensuivit. Il connaissait la convention par cœur, beaucoup mieux que son métier.

– Aujourd'hui, lui dis-je, C'EST MOI L'"BOSS", j'te donne l'ordre d'embarquer; si t'embarques pas, on s'en va.

– J'embarque pas, puis j'vais faire un grief (un nouveau mot qu'il avait appris).

– J'm'en fous, lui répondis-je.

Finalement, l'aide chauffeur assis en avant, et qui ignorait ce qui retardait, est intervenu.

– Mon braillard, change de place avec moi, viens t'asseoir en avant, lui dit-il.

Après quelques secondes d'hésitation, le braillard finit par embarquer avec le groupe en arrière sous les rires et les quolibets.

– Mon Pit, lui ai-je dit, t'as pas d'parole. Si j'avais dit «j'embarque pas», moi, j'aurais pas embarqué.

Il nous a boudés pendant deux semaines. Il a dû trouver le temps long.

Les crétins

Nous avions une pause de dix minutes, communément appelée "break", le matin à 9h50 et l'après-midi à 14h50. Nous étions un groupe dans un camion en direction d'une école sous les directives d'un chef d'équipe permanent. À 14h50 pile, il fit arrêter le camion le long de la rue Ontario pour une période de dix minutes exactement. Nous avons pris le "break" dans le camion, il pleuvait. Ce qui prouve que pour être syndiqué, vous n'avez aucunement besoin d'être intelligent.

Certains confrères cherchaient à assouvir des rancunes envers les "boss" en levant des griefs pour des motifs futiles, mais ça n'allait pas tellement loin.

On m'avait demandé de me présenter comme délégué de département. Le délégué est chargé d'aider et de défendre un confrère aux prises avec des griefs vis-à-vis des "boss". J'ai toujours refusé. C'était presque toujours les mêmes qui étaient confrontés à des problèmes difficilement défendables. Finalement, j'ai été élu comme représentant des manuels à la caisse de retraite, désignée sous le nom de Fonds de pensions. J'avais une certaine expérience dans ce domaine puisque j'étais agent à temps partiel pour La Société des Artisans, une coopérative d'assurance-vie. Ma fonction au Fonds de pensions consistait à vérifier les procédures, donner des renseignements et faire rapport aux assemblées du syndicat.

Les menuisiers de Simard

À la C.E.C.M., il y avait deux classes distinctes chez les hommes de métier. Il y avait ceux du bâtiment et les «autres». Les employés du *Mobilier* faisaient partie des «autres». Ceux du bâtiment étaient soi-disant des vrais menuisiers, plombiers, électriciens, peintres, avec cartes de compétence et salaires du décret gouvernemental. Ces corps de métiers étaient sous la directive du “boss” Simard, d'où le nom sous lequel on les désignait.

Les menuisiers de Simard étaient conscients de leur supériorité sur ceux du *Mobilier*. Mais le syndicat faisait du bon boulot. Tous les menuisiers et les peintres du *Mobilier* furent «unifiés» avec les mêmes salaires du décret. C'était une promotion considérable, notre prestige monta d'un cran. Il y eut quelques remarques désobligeantes de certains «Simardiens», notre compétence était mise en doute. Il y eut aussi des rouspétances de ceux d'entre eux qui étaient réquisitionnés pour aller travailler avec les gars du *Mobilier*.

Certains se sentaient déshonorés, surtout s'il fallait trimbaler des pupitres et monter des escaliers, ce qu'ils refusaient de faire. Les malheureux chefs d'équipe et le contremaître extérieur avaient de sérieux problèmes. Il fallait parlementer, convaincre et, en dernier recours, menacer de sévir. Quoi qu'il en fût, je n'ai jamais vu un menuisier de Simard transporter un pupitre dans les escaliers.

Le grand ménage

Mobilisation générale, c'est le temps des vacances, les écoles sont vides : réparations générales pour les écoles les plus «maganées», rénovation des pupitres et de tout le mobilier de l'école.

Ça veut dire : décaper, laver, “scraper” (verbe transitif), sabler, peinturer, vernir.

L'équipe, sous la responsabilité d'un peintre, «aidé» par un adjoint, est composée de journaliers, de menuisiers et de peintres. Les menuisiers font le gros du travail, les peintres font la finition, la peinture et le vernis. Nous étions «aidés» par des étudiants engagés pour les vacances.

L'adjoint du chef, c'était la cinquième roue de la charrette, il était là parce qu'il n'était pas tellement apte à faire autre chose.

Pour les étudiants, c'était la grosse rigolade : il suffisait d'avoir un «comique» dans leur groupe pour les distraire de leur ouvrage. Ils s'amusaient plus qu'ils ne travaillaient; c'était de leur âge. Ils étaient, pour la plupart, les fils d'un tel ou d'un autre ayant de bons contacts à la C.E.C.M.

Je n'avais aucun grade. On avait un urgent besoin de "scrapeurs" (ceux qui "scrapent"). À l'époque, tous les pupitres étaient en bois dur, nous étions débordés d'ouvrage et on recrutait des menuisiers qui n'avaient jamais "scrapé". Par hasard, il y avait parmi nous un menuisier de Simard qui, je crois, n'avait jamais vu un "scrapeur" (l'outil). J'étais seul dans une classe bien garnie. L'adjoint s'en vient me voir.

– Ti-Phonse, y a un homme ici qu'a jamais "scrapé". Montre-z'y donc.

Le "scrapeur"

C'était le «Simardien», un de ceux qui avaient fait des remarques peu élogieuses à notre égard.

– Ça va ?

– Ça va, on est pas achalé, les "boss" viennent jamais me voir.

– C'est quoi au juste qu'il y a à faire ?

– Ben, c'est pas compliqué, tu fais comme moi, tu "scrapes", pis après tu sables.

– Ça a l'air de bien aller.

– C'est une question d'pratique, moi j'aime ça.

– Tu fais ça à l'année ?

– Non, moi j'fais n'importe quoi, surtout l'ouvrage qu'les autres veulent pas faire.

Il avait l'air perplexe, ne sachant comment interpréter cette réponse.

– J'ai pas de "scrapeur".

– J'vais t'en passer un, pis ça, c'est l'"bournicheur".

– C'est pourquoi faire c'te... ? Comment qu't'appelles ça?

– Un "bournicheur", c'est pour affiler ton "scrapeur". Tu fais comme ça (démonstration).

– Ça coupe bien !

Mon nouveau compagnon commence sa nouvelle aventure et, comme tout débutant, il est un peu gauche.

– Aie pas peur de peser, c'est bon pour renforcer les poignets, lui dis-je en rigolant.

Le pauvre gars faisait son possible, mais ce n'était pas sa vocation, ça changeait ses habitudes. J'affilais son "scrapeur", je l'encourageais.

– Ça m'a pris deux jours pour apprendre. J'suis sûr qu'un menuisier d'Simard, ça lui prendra pas la journée, lui dis-je en rigolant à nouveau.

Il me regarda de curieuse façon, devinant l'insinuation placée au moment opportun et adressée directement à son destinataire. Je venais de laver l'affront fait aux copains du *Mobilier* qui ne sont pas plus manchots que les autres.

Bref, j'ai fait le "scrapage" seul pendant que lui faisait le sablage en maugréant : «C'est pas une «job» de menuisier...!!» («job» en québécois, c'est féminin). J'ai traversé dans une autre classe, lui, il a continué à sabler, puis j'ai perdu sa trace. Avait-il plaidé sa cause en haut lieu ? Avait-il été exaucé ? Je l'ignore et je n'ai pas fait d'enquête.

Les années 60

Elles furent particulièrement fiévreuses.

On manquait d'écoles, on manquait de matériel scolaire, on manquait de transports, on manquait de tout. Par contre, on ne manquait pas d'ouvrage. Il y avait des classes éparpillées un peu partout, dans les sous-sols d'églises, dans des salles d'écoles divisées temporairement par des cloisons, dans certains locaux tels que des magasins inoccupés.

Je faisais des travaux à l'école Notre-Dame-de-Grâce et le concierge me dit :

– N'oublie pas la classe qui est dans le clocher de l'église, les pupitres ont besoin d'être ajustés.

– Euh, j'comprends pas l'"joke", lui dis-je.

– J'suis sérieux, me répondit-il. Il y a une classe dans le clocher.

Il a fini par me convaincre. En effet, au deuxième étage du clocher de l'église voisine, il y avait une classe enfantine sur un palier entourant la colonne centrale et les pupitres entouraient cette colonne. C'est vous dire à quel point on manquait d'écoles. Encore heureux d'avoir une église avec un clocher monumental, double surface, ce qui a permis d'y installer une classe.

Il se construisait des écoles sur tout le territoire et, comme la loi 101 n'existait pas encore, il se construisait aussi de vastes écoles anglaises au cœur des quartiers francophones pour répondre aux désirs des nouveaux arrivants, en majorité d'origine italienne, des combattants de première ligne pour angliciser le Québec.

Nous étions à l'époque du dernier gouvernement de l'Union nationale et Jean-Jacques Bertrand était le Premier «minus» du Québec. Il commençait à y avoir des manifestations pour un Québec français.

Le "Bill" 63, dont le but était de légaliser le libre choix de la langue d'enseignement, fut très mal accueilli par une partie importante de la population. Il y eut des échauffourées à Saint-Léonard causées par l'abrogation de la loi sur l'autonomie des commissions scolaires. J'étais présent à la manifestation. Un officiel est venu proclamer en anglais la loi de l'émeute et la police est entrée en action en nous envoyant des gaz lacrymogènes. Les adversaires de l'école française avaient dressé des barricades et nous accueillirent avec des briques, ce qui n'empêcha pas l'avance des manifestants vers leur lieu de ralliement, l'école Aimé-Renaud.

Il y eut des dégâts, des vitrines de commerces, propriétés de nos présumés adversaires, brisées.

Pour faire suite à ces événements, j'ai pris part à une manifestation monstre devant le parlement à Québec, ce qui a fait fléchir le premier ministre, qui nous a sorti la timide loi 22.

Pour participer à cette manifestation, j'avais dû m'absenter de mon travail, ce qui ne m'était jamais arrivé. Quand on s'absentait, on se déclarait malade et cette absence était débitée de notre banque de journées de maladie et l'on remplissait un questionnaire. À la question : «Cause de l'absence», ma réponse fut : «Indigestion due au "Bill" 63».

Les écoles anglaises

Un bon nombre de ces écoles étaient désignées sous le nom d'écoles italiennes et, quand on m'envoyait aux écoles Pie-X, Jean-XXIII ou Notre-Dame-de-Pompéi, je prétendais ne pas les connaître.

– Ben voyons, Ti-Phonse, c'est des écoles italiennes.

– J'en connais pas.

On me donnait les adresses.

– C'que tu m'donnes comme adresses, c'est "Pius the Tenth", "John the Twenty Third" et "Our Lady of Pompei". Ce n'sont pas des écoles italiennes, ce sont des écoles anglaises fréquentées par nos «amis» italiens.

Dans certaines écoles françaises, il y avait une ou deux

AJUSTEMENT d'UN MOBILE

classes anglaises fréquentées par nos jeunes «amis» italiens. Tout cela indiquait d'une façon éloquente le peu de cas que l'on faisait des francophones du Québec. J'en ressentais une profonde humiliation. À la même époque, dans le nord de la ville, j'avais assisté à un festival sportif organisé par des membres de la colonie italienne. C'était très impressionnant. Des drapeaux italiens, du Canada, du Vatican claquaient au vent; ceux du Québec : ZÉRO. La langue de communication du festival : l'ANGLAIS.

Dans certaines écoles anglaises, on tombait parfois sur un principal qui ne parlait pas ou ne voulait pas parler français (oui, je dis bien un principal). Je trouvais cela inadmissible, surtout pour un principal d'école à l'emploi de la C.E.C.M. De mon côté, je m'adressais toujours en français à un principal et n'en démordais jamais, même si j'étais considéré par ce dernier comme un ignare ne pouvant sortir quelques mots d'anglais. Ce grand benêt faisait venir le concierge francophone, ou un élève francophone, pour servir d'interprète. Ça faisait dur, comme on disait à l'époque. Moi, j'avais honte, lui aucunement.

Dans certaines écoles françaises, quand un Néo-Québécois venait pour faire inscrire son enfant, la secrétaire, et même parfois le principal, lui indiquait gentiment l'adresse de l'école anglaise la plus proche. On peut dire, à ce point-là, qu'on était dans le plus creux des réflexes conditionnés.

Les années 70

Elles furent mouvementées. Les libéraux furent au pouvoir avec Bourassa de 1970 à 1976.

À Ottawa, c'était Trudeau au pouvoir. C'était aussi l'époque du mouvement souverainiste, indépendantiste, séparatiste, felquiste; en résumé, une tendance prononcée vers un pays francophone distinct : le Québec.

Les attentats armés, quoique isolés, du mouvement felquiste (F.L.Q. pour Front de libération du Québec, ne pas confondre avec Fédération libérale du Québec) entraînèrent à la hâte la mise en vigueur de la loi sur les mesures de guerre pour parer à une éventuelle rébellion.

En 1976, le Parti québécois prit le pouvoir avec René Lévesque comme premier ministre.

À la C.E.C.M., en particulier au *Mobilier*, les choses commençaient à se tasser, nous étions moins accaparés. La «clientèle scolaire» s'était stabilisée, les naissances étaient en déclin. On rattrapait les retards des années 60, on rénovait le mobilier, on profitait de la période des vacances pour faire de grands ménages dans les écoles. Évidemment, dans ces écoles, je faisais du "scrapage". L'avantage à faire du "scrapage", c'est qu'il n'y a personne qui envie ta «job».

Le grand ménage, à l'école Sainte-Cécile, est pour moi inoubliable. Une grosse école, une équipe sous la directive de Léopold Dupont, un peintre expérimenté, assisté d'un adjoint.

La directrice nous reçoit.

– C'est à quel sujet ?

– C'est pour le ménage.

– Le ménage ? Quel ménage ?

– Ben, tout réparer, tout remettre à neuf.

– Il y a sûrement erreur, tous les pupitres (vissés au plancher) vont être remplacés par des neufs, les planchers vont être refaits par le "contractant" avant la rentrée, tout est confirmé par les autorités.

Surprise du chef d'équipe, qui me regarde.

– Qu'est-ce que t'en penses ?

– Ben, c'est clair, avertis l'bureau qu'c'est une erreur !

Au bureau, le commis n'était pas au courant.

– J'vais m'informer puis j'te rappelle, lui répondit-il.

Une demi-heure plus tard, le commis rappelle, personne ne pouvait le renseigner.

– Sur mon “mémo”, dit-il, c’est bien indiqué qu’il faut faire le ménage à Sainte-Cécile. Faites le ménage !

C’était le prototype du parfait commis qui se conformait aux modèles de ses supérieurs. Quelques milliers de dollars dépensés inutilement n’empêchaient pas la bureaucratie de fonctionner.

Nous fîmes donc le ménage, malgré les objurgations de la directrice, et ce n’était pas une petite tâche que de remettre à neuf des pupitres destinés au rebut.

Peu de temps après cet événement mémorable, le contremaître vint me voir.

– Ti-Phonse, me dit-il (c’était ainsi qu’on m’appelait), tu vas aller à Sainte-Cécile (l’école), faut tout dévisser les pupitres, faut tout sortir. Le “contractant” s’en vient refaire les planchers, ça va être remeublé en neuf. J’t’envoie du renfort, puis des camions pour le transport.

Ce qui fut fait.

Ce qui sortait des écoles retournait soit aux ateliers, soit aux entrepôts. Il y avait maintenant un surplus considérable de pupitres «démodés» entreposés un peu partout. Le contremaître vint me voir à nouveau.

– Ti-Phonse, tu vas aller à Notre-Dame-de-la-Défense (ça voulait dire au sous-sol de l’école de ce nom, un entrepôt archiplein). Tout ce qu’il y a dans l’entrepôt doit sortir. Tous les pupitres doivent être démolis. La partie métal (en fonte) sera récupérée et le bois ira au dépotoir, le tout noté, classé, la paperasse «précieusement conservée» pour retourner au *Mobilier*.

La première chose qui m’a sauté aux yeux en arrivant à cet entrepôt, c’était nos pupitres de l’école Sainte-Cécile, remis à neuf, les premiers condamnés à mort (ainsi fonctionnait notre bureaucratie).

Muni d’un marteau poids lourd, j’ai commencé mon travail de démolition en compagnie d’un jeune homme qui ne faisait absolument rien.

Ce jeune homme, dans la vingtaine, c'était le petit Brière, un protégé soi-disant de Jean Drapeau. Personne n'en voulait et les "boss" ne savaient où l'envoyer. Il était pourtant toléré (un autre mystère de la fonction publique). Moi, je m'en fichais, du moment qu'il ne nuisait pas.

C'est plus facile à démolir qu'à fabriquer, ça marchait rondement. Quand un camion arrivait pour recueillir le «fruit» de mon travail, le chauffeur et son aide s'informaient si j'étais seul.

– Hélas non ! J'ai avec moi le p'tit Brière.

– Où c'qui l'est ?

– J'sais pas, p't-être aux chiottes.

Au bout d'un quart d'heure, ils allèrent à sa recherche et le trouvèrent quelque part, allongé, écoutant la musique de son radio, son inséparable compagnon.

Il ne savait ni lire ni écrire. Un jour, il m'avait chargé d'appeler à la prison de Bordeaux. Il voulait aller accueillir son frère qui sortait le lendemain.

– Ton frère, comment qu'ça s'fait qu'il est en prison ?

– Ben, y a pas été chanceux. Y s'est fait «pogner».

Telle fut sa réponse.

À Bordeaux, mon interlocuteur au téléphone me soumit à un questionnaire en règle avant de me donner le renseignement demandé : «Mon nom ? Pourquoi qu'vous appelez ? Êtes-vous parent avec lui ? Pourquoi qu'son frère appelle pas? Qu'est-ce que vous faites dans la vie ?» Bref, j'ai fait une confession générale.

Donc, mes deux types du camion ont ramené mon petit Brière qui n'était pas tellement de bonne humeur d'avoir été dérangé dans son audition radiophonique. Après cinq minutes en notre compagnie, il voulait aller aux toilettes et il a disparu. C'était inutile d'insister.

Son cas était connu des "boss", qui le «toléraient», et ça ne concernait pas le syndicat.

Il n'était pourtant pas stupide. C'était plutôt un «extrémiste» qui abusait du patronage à un maximum caricatural.

J'ai continué mon œuvre de destruction, seul comme j'avais commencé et, ô surprise !, derrière la dernière pile qui restait à démolir, j'ai découvert tout un ensemble de plomberie qui y avait été soigneusement dissimulé. Tout y était, un ensemble complet pour une maison. Éviers, baignoire, toilette, robinets, tuyaux, etc. Ce matériel n'avait pu être livré «à temps» à destination de Pointe-Calumet, le récipiendaire s'étant fait «pogner» et ayant été flanqué à la porte de la C.E.C.M.

Pour aller au plus court, j'ai appelé immédiatement le département de la plomberie pour faire sortir les objets. Ça s'est fait la journée même. J'ai fait une erreur, paraît-il : j'aurais dû en parler à mon contremaître; c'est du moins ce qu'il m'a dit.

Pour le dessert

J'arrive à la paperasse, il y en avait pas loin d'une tonne, dans un amoncellement de boîtes de carton. J'ai jeté un coup d'œil là-dedans. C'était des bordereaux de livraison et de réception en deux ou trois copies de diverses couleurs, des paperasses périmées, parfaitement inutiles. Il y avait dans le sous-sol un incinérateur dans lequel j'ai fait disparaître les trois quarts de la paperasse. Pour le restant des boîtes, j'ai dit au camionneur de les placer près de l'entrée du bureau de l'atelier. Je voulais savoir par curiosité ce qu'il adviendrait de ces précieuses paperasses. Elles sont restées là, en exposition, pendant trois mois. Finalement, elles ont fini, elles aussi, dans l'incinérateur.

L'entrepôt Victor-Doré

Dans la même foulée, mon contremaître, satisfait de mon travail, m'envoie «vider», avec l'aide de trois journaliers, un autre entrepôt à l'école Victor-Doré.

C'était une vraie caverne d'Ali Baba. Outre les pupitres, il y avait des meubles de grande qualité dont la majeure partie provenait des bureaux de l'administration. Ça arrivait qu'un fonctionnaire nouvellement promu faisait parfois changer les meubles de son bureau pour un nouvel ameublement digne de lui. Comme j'avais l'ordre de passer la masse dans tout ça, j'en parlai à mon contremaître, si c'était réellement TOUT ÇA ?

C'était réellement TOUT ÇA; ça me crevait le cœur. Même les chauffeurs de camions, habitués à trimbaler des fortunes au dépotoir, étaient sidérés.

– C'est pas vrai, tu casses pas tout ça ?

– Ben oui.

Certains meubles, chaises, fauteuils, étaient d'une solidité à toute épreuve et j'admirais leur qualité ainsi que la compétence de leurs concepteurs. Une certaine partie provenait aussi de communautés religieuses. C'est vous dire comment ces meubles étaient en bon état.

Les chauffeurs lorgnaient avec un œil d'envie toute cette richesse vouée à la destruction.

– Ça ferait bien dans mon salon, ce fauteuil-là.

– Cette chaise monumentale-là, j'la placerais en avant, sur ma galerie, etc.

– Bon ben, les gars, leur dis-je, y faut qu'j'aille aux toilettes, vous savez ce que ça veut dire ? J'en ai au moins pour cinq minutes.

Ça a fait des heureux. Ils ont compris le message, vous aussi, d'ailleurs.

Quand le camion revenait, le même processus se répétait. Ça m'a sauvé de l'ouvrage, le "boss" était satisfait, tout était noté et mon rapport bien rédigé. Dans l'administration publique, c'est surtout ça qui est important.

Les faits divers

Dans une école dirigée par des religieuses, nous étions deux hommes pour des travaux de routine et pour ajuster les pupitres à la taille des élèves.

Dans les écoles, c'est le concierge qui est le mieux renseigné sur les travaux à exécuter dans l'édifice; dans une classe, c'est le professeur ou l'institutrice; et pour le pupitre, c'est l'élève. J'en ai toujours tenu compte pour faire un bon travail, même si parfois je dérogeais aux instructions «sur papier».

Dans une classe, il y avait des anciens pupitres, tout en bois, non réglables, un gabarit pour tout-petits; mais c'était une classe de cinquième année. Les élèves, très mal assises, pliées en deux, sans aucune place pour les jambes, étaient des filles.

– Ma sœur, avez-vous fait une demande pour faire changer vos pupitres ?, lui demandai-je.

– Oui, ça fait au-delà de trois mois, depuis la rentrée.

Sur ce, je communiquai immédiatement avec le commis du *Mobilier*.

– La réquisition pour d'autres pupitres, on l'a pas encore reçue du grand bureau, me dit-il.

– En attendant, envoie-moi des rallonges de trois pouces pour du pupitre «Commercial» (c'était le nom du modèle de pupitre).

Les rallonges en question, c'était des blocs cylindriques en bois qui s'emboîtaient sous les pattes du pupitre et le rehaussait d'autant (je trouvais ça ingénieux).

– On en a pas en stock, me dit-il.

– Oui, il y en a deux pleines caisses en avant du châssis où c'qu'est l'sourd (nous avions un sourd à l'atelier).

– Faut qu'j'en parle au “boss”.

– Parles-en à qui tu voudras mais envoie-moi ça au plus vite pour trente-cinq pupitres.

Cinq minutes plus tard, le commis me rappelle.

– Le “boss” veut pas, ces pupitres-là sont appelés à disparaître.

– En attendant, ils ont pas disparu.

J'ai eu beau parlementer, c'était NON !!

La sœur directrice vint me voir. Je lui fis part de la réponse négative des gens du bureau et que c'était très facile de rehausser les pupitres. Elle était outrée.

– Ma sœur, lui dis-je, avez-vous des contacts influents au grand bureau ?

– Sûrement, je connais très bien monseigneur Carter.

– Vous pouvez toujours essayer de lui expliquer le problème, bien que ça ne soit pas de sa compétence, mais il pourrait intercéder pour vous auprès des autorités supérieures. N'oubliez pas de mentionner : des rallonges de trois pouces pour trente-cinq pupitres modèle «Commercial». Et surtout, ne dites jamais que c'est le menuisier qui vous a fait cette suggestion.

Nous reçûmes la marchandise une heure plus tard. Les élèves étaient heureuses, moi aussi. Les sœurs nous ont remerciés chaleureusement.

– Je le savais, me dit la sœur enseignante, que nous serions exaucées. J'avais fait prier mes élèves.

L'école Notre-Dame-de-Grâce

J'étais dans cette école pour différents travaux. On m'avise qu'il y a une classe où il faut changer les pupitres vissés au plancher pour d'autres qui venaient d'être livrés. Je vais jeter un coup d'œil sur ces derniers. C'était un stock déniché je ne sais où, avec couvercle mobile, de vieux pupitres usagés dont le coffre avait un volume insuffisant pour loger le nécessaire d'un élève de cette classe de cinquième année.

Je suis allé aviser la maîtresse du travail que j'avais à faire dans sa classe. Cette dernière m'a demandé si les pupitres qu'elle avait aperçus dans la salle en bas lui étaient destinés. Sur ma réponse affirmative, elle s'est mise à pleurer.

– J'en veux pas, c'est une vraie horreur. J'aime encore mieux garder ceux que j'ai actuellement.

J'étais convaincu qu'elle avait raison. Téléphoner au *Mobilier* pour leur expliquer la situation, c'était courir le risque de me faire répondre d'exécuter mon travail selon les instructions. J'en avais déjà fait l'expérience, le système bureaucratique, ça n'a pas d'âme. Bref, ma décision était prise.

– Mademoiselle, séchez vos larmes, ces pupitres vont être retournés et demandez à la direction qu'elle remplisse une réquisition pour des pupitres tubulaires 24", ce sont les plus beaux et les plus pratiques.

Quand le camion est revenu chercher les pupitres, le chauffeur m'a fait remarquer qu'ils ressemblaient drôlement à ceux qu'il avait livrés quelques jours auparavant.

– Ça m'surprend pas, me dit-il, au *Mobilier*, ils nous font faire souvent d'l'ouvrage qui sert à rien.

Le père Dupras

Le transport des pupitres «Mobiles» se fait généralement avec deux hommes par pupitre, à cause du poids. Quelques-uns, dont moi-même, les transportaient seuls, non par fanfaronnade mais, en ce qui me concerne, parce que c'était plus pratique et, à la longue, moins fatigant. Les bras et les jambes sont plus libres, et l'on peut travailler à son rythme.

Quand on meuble une école, en principe, les journaliers font le trimbalage et les menuisiers font l'ajustement temporaire, qui consiste à ajuster le pupitre à la taille approximative de l'élève de cette classe. Le menuisier, muni d'un "ratchet", ou clef à cliquet, desserre et resserre les boulons. Il est «aidé» par un journalier qui maintient le siège et le pupitre à la hauteur voulue. En résumé, une «job» quasiment à rien faire, pas besoin de sortir de polytechnique pour faire ce travail. Donc, j'avais l'honneur d'être sur le "ratchet" et mon journalier, un jeune homme, avait l'honneur d'être le fils du chef d'équipe en fonction.

Dans les escaliers, il y avait un sexagénaire qui montait des pupitres. Le pauvre homme titubait. Apparemment, sa santé et sa constitution ne lui permettaient pas de faire ce travail. J'en fis la remarque au chef d'équipe.

– Ce n'est pas un ouvrage pour ce pauvre bougre, lui dis-je, vous devriez mettre un jeune à sa place. L'homme peut mourir dans l'escalier.

Le jeune homme qui «m'aidait» ne broncha pas. Le chef d'équipe me dit qu'il tenait compte de l'ancienneté, ça s'adonnait comme ça.

– AH BEN KRISS ! (Un kriss, c'est un poignard). J'vais aller le remplacer, l'père Dupras. Toi, l'jeune, prends ma place, pis l'père prendra la tienne à rien faire.

Ce qu'il fit sans enthousiasme.

Tant qu'a duré l'ouvrage, j'ai surveillé si on n'abusait pas du père. Une semaine après cet événement, nous apprenions la mort du père Dupras.

Bref communiqué

Le père Lamarre, qui se faisait passer pour le beau-frère du grand "boss" Linteau, ce dont je vous ai parlé dans les pages précédentes, s'est fait «pogner». Il est maintenant relégué tout seul dans son coin à réparer des chaises du matin au soir. *Sic transit gloria mundi.* Il a le caquet bas, il peut quand même s'estimer heureux d'avoir gardé sa «job».

Petites causes, grands dommages

À l'époque où je travaillais, la plupart des pupitres avaient des couvercles que l'on pouvait maintenir ouverts à l'aide de deux chaînettes de 8" de long vissées à chaque extrémité avec des vis de 3/4" n° 8 “TWIN-FAST”. Jusqu'ici, rien de plus banal. “TWIN-FAST”, ça veut dire qui se visse et se dévisse rapidement. Le menuisier qui vissait la chaînette ordinairement perçait dans le bois dur et ajoutait souvent un peu de graisse sur la pointe de la vis pour faciliter son travail.

Tout était parfait pour un certain temps. Mais quand un élève commençait à jouer avec la chaînette, tôt ou tard, la vis se déracinait, la chaînette s'entortillait et finissait par casser, ou la vis par disparaître. Les conséquences en étaient fâcheuses. Le couvercle, n'ayant plus de soutien, s'abattait brutalement à l'horizontale quand l'élève ouvrait son pupitre au complet, les charnières subissaient le contrecoup, se déformaient et souvent s'arrachaient. Non seulement fallait-il remplacer chaînettes et charnières, mais parfois même changer la tablette du pupitre, en plus de réparer le couvercle.

J'ai toujours aimé travailler, mais je déteste le travail inutile. C'est pourquoi, pour éviter tous ces inconvénients, j'ajoutais à «toutes» les chaînettes de «tous» les pupitres une petite vis supplémentaire à chaque extrémité. L'opération était rapide à l'aide d'un tournevis automatique à ressort. Ça n'avait l'air de rien, mais ce procédé empêchait à tout jamais les chaînettes de s'entortiller.

L'ancienneté

J'avais acquis de l'ancienneté et nos “boss” avaient eu la bonne idée de nous attribuer un territoire sous notre responsabilité, ce que j'approuvais entièrement. Nous saurons ainsi qui fait son travail bien ou mal. Bravo !

Mon territoire, c'était tout l'ouest de Montréal, du sud au nord jusqu'à Côte-Saint-Luc inclusivement, le plus vaste et avec le plus grand nombre d'écoles.

Ce qui devait arriver arriva. Les couvercles arrachés ne furent plus qu'un mauvais souvenir, je me la coulais douce, je faisais des bricoles pour rendre service aux concierges ou aux

LE MOPOLOGISTE,
DE L'ANGLAIS MOP
"VADROUILLE"
LE MOPOLOGISTE EST
UN AIDE CONCIERGE
SPÈCIALISTE DE LA MOP.

profs et, comme prime, je me déplaçais avec une camionnette flambant neuve.

Cependant, les travaux d'urgence se faisant rares dans mon territoire, on m'envoyait pour certains travaux spéciaux dans le territoire des autres (travaux spéciaux : sous-entendu, des travaux que d'autres n'aimaient pas faire). J'avais fait remarquer à l'adjoint du directeur, un certain monsieur Phaneuf, que j'étais seul dans mon territoire, alors que dans les autres ils étaient deux et que je trouvais ça bizarre. Sa réponse, qui n'en était pas une, fut brève : on m'envoyait là où était l'ouvrage. Je lui parlai aussi de ma méthode infaillible pour supprimer les couvercles arrachés. Il me prouva en parfait bureaucrate que j'avais tort. Sa réponse fut brève également, l'entrevue ne dura pas deux minutes.

Ça prouvait qu'il n'avait jamais réparé de pupitres dans les écoles.

Quand j'étais jeune, il y a de cela bien longtemps, je faisais parfois des mots d'esprit de qualité douteuse, ce qui faisait dire à mon père, un homme cultivé : «Quand on n'a pas d'esprit, on en fait !»

Je vais quand même essayer d'en faire un autre en ce qui concerne mes "boss" : «On dit souvent que la réalité dépasse la fiction, chez nos "boss", elle dépassait la fonction.»

Tiercer

Verbe transitif : donner aux terres un troisième labour.

J'arrive, accompagné d'un confrère, dans une école où il n'y avait pas eu de réparations depuis une éternité.

Le concierge nous reçoit à bras ouverts.

– Ça fait longtemps qu'on vous attend, me dit-il.

– Ben, vous auriez dû faire une demande plus tôt, lui répondis-je.

– Qu'est-ce que tu penses ?, me dit-il. Des réquisitions, ça fait trois ans qu'on en envoie au grand bureau. Ils viennent de s'réveiller, je suppose.

Il y avait en effet beaucoup d'ouvrage en réparations et en ajustements, quatre jours pour faire un bon travail. Quand nous réparions un pupitre, nous faisions aussi l'ajustement. Tout étant terminé, je téléphone au *Mobilier*. Le remplaçant du commis me répond de faire l'ajustement.

– L'ajustement, on l'a fait.

– Hein ! J'peux pas mélanger les deux réquisitions, c'est deux réquisitions séparées.

– Dis-moi pas qu't'es rendu séparatiste. Vous m'faites rigoler avec vos enfantillages. Arrange ça deux tiers pour réparer, un tiers pour ajuster et tout l'monde va être content.

– C'est ben correct, mais fais attention la prochaine fois.

– Ouais !

À la même école (bis)

Dix jours plus tard, on nous envoie pour le même travail. Le concierge nous reçoit.

– Qu'est-ce que vous venez faire ici ?

– La même chose que la dernière fois.

Nous sommes restés trois jours à rien faire. Deux semaines plus tard, même école, trois autres jours identiques.

Explication du mystère précédent

La direction de l'école, en l'occurrence St. Augustine of Canterbury, fait une réquisition pour divers travaux : pas de nouvelles. Après un certain temps, la même école en fait une nouvelle : aucun résultat. Elle se hasarde à en faire une troisième, puis attend avec un espoir qui s'amenuise au fil des années. Tout à coup, ô miracle !, le fonctionnaire entre en action et transmet les demandes aux départements concernés, parmi lesquels, le *Mobilier*. L'action s'est répétée trois fois, à mesure que les réquisitions se répétaient. C'est pas plus compliqué que ça, le fonctionnaire fonctionnait.

Faut pas s'énerver

J'ai déjà attendu deux jours avec un groupe de quatre pour deux boîtes de vis. J'avais suggéré d'acheter moi-même ces vis au magasin le plus proche et de me les faire rembourser. NENNI, fallait pas déranger la mécanique du bureau.

Il y avait maintenant un surplus d'écoles résultant de la dénatalité. Certaines d'entre elles étaient vouées à d'autres activités et on les vidait de leur mobilier.

Nous réparions, mon collègue et moi, des pupitres dans un entrepôt et ces pupitres étaient envoyés au dépotoir assez souvent pour «faire de la place».

Chose curieuse, à mesure que le nombre d'écoles diminuait, le nombre de bureaux et de promotions augmentait. Nous avons dû abandonner notre local contigu au siège administratif pour faire place à de nouveaux bureaux.

Nous retournions à notre atelier de la rue Boyer. À ce même atelier, en empiétant sur l'espace consacré aux manuels, on avait même ajouté un nouveau bureau pour l'adjoint du directeur.

Le temps passe rapidement

Je suis maintenant un ancien avec privilège d'ancienneté. Il y a un poste ouvert pour un contremaître extérieur et je suis sur la liste des candidats. Contremaître extérieur, je trouvais ça pas tellement réjouissant. J'ai été souvent témoin des problèmes plus ou moins sérieux auxquels il doit faire face. Le pauvre gars est coincé entre les "boss", les chefs d'équipes, les employés, les directions d'écoles et le syndicat. S'il veut survivre, il doit s'adapter à cette situation et souvent fermer les yeux sur les imperfections du système, et de la nature humaine.

J'ai toujours sympathisé avec le contremaître extérieur, un ancien collègue, honnête travailleur. Je m'étais juré de ne jamais lui causer de problèmes et il pouvait toujours compter sur moi pour les travaux spéciaux que d'autres ne pouvaient ou ne voulaient pas faire.

Je songeais à tout cela. Le salaire, évidemment, c'est intéressant, mais la sainte paix, c'est précieux. En outre, mes deux supérieurs du bureau étaient du genre «peu communicatif», ne s'intéressant pas aux employés, ne leur adressant jamais la parole; ils étaient, à mes yeux, peu attirants. Le directeur avait le charisme d'une porte de prison. C'était peut-être du bon monde; je leur donnais le bénéfice du doute.

J'ai fait quand même une demande en bonne et due forme. Si j'aime pas la «job», je démissionnerai, me dis-je. Qui vivra verra, attendons les événements.

Les événements

Après un certain temps, un de mes collègues fut nommé contremaître. Lui ou un autre, ça ne me dérangeait pas. Ce que je trouvais bizarre cependant, c'est que ce nouveau contremaître avait une ancienneté inférieure à la mienne et que je n'avais jamais été convoqué pour répondre à un questionnaire ou à un examen sur mes aptitudes à remplir la fonction. Pour en avoir le cœur net, je me rendis au grand bureau rencontrer le fonctionnaire chargé du dossier.

C'était un type que je ne connaissais pas. Je lui ai fait part de mon étonnement.

– Mon cher monsieur, me dit-il, on ne vous a pas engagé parce que nous en avons engagé un autre.

Admirable logique.

– Faites-vous passer des examens ?, demandai-je.

– C'est inutile, vous ne remplissez pas les conditions.

– C'est quoi, les conditions ?

– La scolarité.

– J'ai un certificat de septième année.

– C'est insuffisant.

– Excusez-moi d'vous avoir dérangé.

J'étais renseigné, mais pas suffisamment. J'ai contacté mon représentant syndical pour lui parler de mon cas. Celui-ci me dit que, outre la scolarité, on tient compte aussi de l'expérience, des antécédents et des aptitudes.

– C'est drôle, lui dis-je, le bureaucrate ne m'en a pas parlé.

– Ça m'surprend pas, fut sa réponse. De toute façon, le syndicat va s'occuper de ça. En attendant, je te conseille de lever un grief contre l'employeur; c'est tout à ton avantage. Si tu gagnes ta cause, et je suis sûr que tu vas la gagner, tu auras droit à la différence de salaire, rétroactive à la première journée où on aurait dû t'engager. Tu as une date limite pour agir.

– J'te remercie, j'vais y penser, lui dis-je.

C'était réellement intéressant. Donc, j'ai levé un grief une journée avant l'expiration du délai qui m'était dévolu et j'ai attendu longtemps, mais je n'étais pas pressé.

En attendant, je suivais des cours du soir pour obtenir un certificat de neuvième année. J'y ai appris le système binaire. Quant aux autres matières, je les connaissais. J'ai obtenu ma neuvième année en maths et j'en ai fait part au bureaucrate qui s'était «occupé» de moi. Il me répondit que ce diplôme n'était pas nécessaire et que mon cas irait à l'arbitrage.

– Merci, vous êtes bien gentil.

La nomination

Après un temps assez long, qui m'a cependant paru court, on m'annonça par lettre que j'avais obtenu gain de cause et que je devais me présenter au grand bureau. On me remit un document confirmant ma nouvelle fonction et un chèque «substantiel» en compensation du salaire que je n'avais pas reçu.

Sur les lieux, je rencontrai le président de notre syndicat, son adjoint et un copain. Je les invitai sur-le-champ à venir faire un petit gueuleton dans un restaurant de leur choix. Nous avons bien rigolé pour fêter l'événement aux frais de la princesse. J'ai conservé le gros du montant pour un voyage et j'ai fait le tour de la France en voiture avec mon épouse. Ce fut le plus beau voyage de ma vie.

Auparavant, je m'étais présenté à mon directeur au *Mobilier*, un homme à la mine rébarbative, qui me dit :

– Quand j'aurai besoin de toi, j'te l'dirai.

Pas un mot de plus. C'était un accueil plutôt glacial. En fait, ce "boss" n'appréciait guère mes initiatives, qui dérogeaient parfois aux directives, mais qui s'imposaient de par les situations que je rencontrais sur les lieux.

Donc, j'ai attendu deux jours à lire, à faire des mots croisés, à tuer le temps. Les renseignements sur mes nouvelles fonctions, je m'en informais à l'autre contremaître, qui était un copain.

Finalement, mon ours mal léché m'a envoyé dans une école pour prendre note du matériel à sortir et à transporter aux entrepôts.

Mon travail consistait à former des équipes selon les besoins, à aller aux écoles évaluer les demandes de travaux, à visiter les hommes sur les lieux et à surveiller les camionneurs qui allaient «dîner» à la taverne.

Nous avions deux alcooliques parmi eux. Une sœur directrice m'avait fait remarquer ce que je savais depuis longtemps: ils avaient une «haleine forte» : alcool + tabac. On sentait ça à une douzaine de pieds.

– Ma sœur, lui répondis-je, tout ce qu'on peut faire, c'est de prier pour eux.

Je dois reconnaître cependant qu'ils étaient polis et qu'ils faisaient leur travail sans récriminer.

Certains chauffeurs (qui connaissaient la convention

mieux que moi) pouvaient refuser de monter ou de descendre plus de quatre marches d'escalier, ne fut-ce que pour quelques bagatelles à transporter. Il y avait parfois quelques litiges à régler «à l'amiable». On rencontrait cependant ici et là d'éternels rouspéteurs.

De retour à l'atelier, à la fin de la journée, je devais surveiller ceux qui se bousculaient pour arriver les premiers à l'horloge pointeuse. Je trouvais ça con.

Dans la mesure du possible, je tenais compte de l'âge et de la force physique d'un travailleur pour distribuer les tâches. Évidemment, un jeune homme robuste pouvait en faire plus qu'un homme âgé ou qu'un gringalet tout en étant moins fatigué, tout le monde était d'accord là-dessus.

Mais il y a toujours des exceptions. Les types à qui j'avais affaire, je les connaissais et j'avais fait à peu près tous les ouvrages du *Mobilier*, des menuisiers et des journaliers.

J'arrive donc dans une école où il y avait une quarantaine de pupitres à installer. Un chef d'équipe, accompagné de trois menuisiers, m'attendait les bras croisés.

– Hé ! les gars, les pupitres, y s'monteront pas tout seuls.

Je savais déjà sa réponse. Maintes fois on m'avait envoyé faire l'ouvrage que ce type refusait de faire et, à l'époque, j'étais accompagné d'un homme de mon âge (56 ans). Je montais les pupitres tranquillement et mon copain les ajustait. C'était la belle vie, pas compliquée.

Le rebelle à qui je m'adressais était l'homme de confiance de mon directeur taciturne, certaines méchantes langues le qualifiaient de «téteux». Donc, sa réponse fut négative.

– C'est d'l'ouvrage de journalier, me dit-il.

– Un menuisier est tenu de faire occasionnellement du travail de journalier et son salaire n'en souffre pas, fut ma réponse.

– Ça m'fait rien, nous autres, on les montera pas.

– Bon ben, salut les gars, moi j'fais mon ouvrage comme j'ai toujours fait. J'en ferai rapport au directeur.

L'homme est allé illico téléphoner à son protecteur qu'on surnommait Patof à cause de son "look". Ça ne m'aidait pas pour entrer dans les bonnes grâces de ce dernier.

De retour au *Mobilier*, je lui fis mon rapport. C'est le seul rapport que j'ai fait dans ma carrière de contremaître, qui ne fut pas tellement longue.

Un vague grognement fut la seule réponse que j'obtins du directeur. Je m'en fichais, car mon intention était de donner ma démission. J'aimais pas la «job», c'était pas dans mon caractère. J'aimais trop mon autonomie, être mon propre "boss". Le salaire, c'est bien beau, mais ça ne remplaçait pas mon bonheur perdu.

Ma démission est retardée

Ce qui a retardé ma démission fut dû à l'action du "boss" et de son adjoint, surnommé «trois par trois» (3 x 3) parce que «ça Phaneuf», c'était son nom.

Ces deux compères étudièrent mes agissements à la loupe et trouvèrent quelques peccadilles pour m'inviter à démissionner. Je trouvais ça ridicule. On me reprochait entre autres de déroger aux instructions reçues. C'était vrai, parfois j'étais obligé de déroger pour faciliter la marche des travaux.

Je reçus cette délicate invitation sous forme d'avis officiel dont copie fut remise au représentant des contremaîtres, un groupe de huit personnes dont je faisais partie. Étant contremaître, je n'avais plus l'aide du syndicat. Un délégué de mon nouveau groupe vint me voir, fit son enquête et me demanda s'il y avait autre chose que «ces insignifiances». Il n'y en avait pas.

Georges-Étienne Hébert

À la naissance de notre syndicat, Georges-Étienne Hébert était un conseiller technique à l'emploi de la C.S.N.

Ce fut lui qui, à nos débuts, fut chargé de nous guider et de nous familiariser au fonctionnement des rouages d'un syndicat C.S.N., et de négocier notre premier contrat.

Il fit un travail remarquable. C'était un fonceur rompu à toutes les astuces du métier. Sa tâche de négociateur était d'autant plus facile que ses vis-à-vis, lors des négociations, n'étaient nullement aguerris et ne pouvaient faire face à un ouragan. Georges-Étienne, c'était en quelque sorte notre Michel Chartrand providentiel. Ça n'a pas traîné, nous avons eu un contrat en or sans avoir à faire la grève.

Les hautes instances de la C.E.C.M., médusées par le dynamisme de Georges-Étienne, lui offrirent, avant l'expiration du contrat, une «job» difficilement refusable.

Georges-Étienne, syndicaliste convaincu, soupesa l'offre et évalua jusqu'à quelle limite pouvaient aller ses convictions syndicales. Tout en étant syndicaliste «convaincu», il était néanmoins réaliste comme tout le monde et il finit par «succomber» à la tentation. Il était maintenant à l'emploi de la C.E.C.M. à titre de conseiller en relations humaines (ou quelque chose dans ce genre-là).

C'est donc devant Georges-Étienne que je devais comparaître, accompagné de mon confrère Jean Bergeron qui était en quelque sorte mon avocat. Jean était le contremaître des plombiers. Je l'ai connu lorsqu'il était simple plombier. C'était aussi un excellent négociateur syndical.

La comparution

Une table : d'un côté, Georges-Étienne flanqué du directeur Filion et de son adjoint Phaneuf, de l'autre côté, moi-même et mon défenseur. Ça me faisait drôle, c'était la première fois que «je passais en cour».

Georges-Étienne me demanda si j'avais pris connaissance du grief à mon endroit.

– Ben oui, et j'me demande ce qu'on a à me reprocher.

– D'après vos patrons, vous ne leur donnez pas satisfaction.

– C'est vague comme reproche. Ça fait dix-sept ans que je travaille au *Mobilier* et j'ai toujours donné le meilleur de moi-même. Faites enquête, fouillez mon dossier, informez-vous aux contremaîtres, aux directions d'écoles, à mes compagnons de travail, le seul reproche que l'on me faisait, c'est que j'étais un zélé.

– Sur cela, nous sommes d'accord, nous avons pris nos renseignements.

À ce moment-là, mon avocat prit la parole et il n'y alla pas de main morte.

– Si vous commencez à mettre des bâtons dans les roues de vos contremaîtres, dit-il, vous allez en subir les conséquences, c'est nous que vous attaquez. J'ai étudié le dossier d'Alphonse moi itou et je connais ses capacités. Vos accusations ne tiennent pas debout et j'ai autre chose à faire que de perdre mon temps ici.

C'était en résumé son plaidoyer.

Ce que je trouvais cocasse, c'était que mes deux accusateurs étaient muets comme des carpes pendant que Georges-Étienne esquissait un sourire. Ça lui rappelait sans doute son passé syndical et il appréciait probablement en connaisseur la verve du confrère Bergeron.

Le trio se retira pour aller délibérer dans un local adjacent et revint après quelques minutes. La sentence arbitrale tenait compte de mes antécédents. J'étais acquitté avec recommandation (en résumé) de faire mieux à l'avenir.

C'est difficile de faire mieux quand on est parfait.

Bien oui, je dis ça pour rigoler.

Ce qui m'a surpris à la suite de ces événements, ce sont les félicitations que j'ai reçues d'un grand nombre de mes anciens confrères, menuisiers, peintres et journaliers, des poignées de mains, des tapes dans le dos. Ils étaient au courant de mes tribulations depuis que j'avais fait rapport au directeur de l'insubordination de son homme de confiance qui ne voulait pas trimbaler des pupitres.

J'étais sensible à l'estime qu'on me témoignait. Il y en a même un qui m'a déclaré solennellement que le bon Dieu était plus fort que le diable.

Mon opinion à l'égard de mes "boss" fut loin de s'améliorer. Il était plus facile pour eux de chercher des poux dans la tête d'un contremaître (sans succès d'ailleurs) que de résoudre les vrais problèmes de travaux inutiles, de fausses manœuvres et de gaspillage éhonté sous toutes ses formes. On aurait pu tomber sur des bons "boss" mais, dû au hasard du patronage politique, ce ne fut pas le cas.

J'ai déjà eu des patrons dans l'entreprise privée. On pouvait se parler, on se consultait mutuellement, on agissait comme des coopérants, pas comme des adversaires. Les idées d'un travailleur en contact direct avec l'ouvrage, ça vaut de l'or. De simples détails inaperçus pour le non initié font parfois toute la différence quant aux résultats. Dans les écoles, je ne négligeais jamais d'écouter le point de vue du concierge; en général, ça m'aidait.

Deux mois plus tard

Le temps de digérer ma victoire, je donnai ma démission, qui fut mûrement réfléchie, et je retournai à ma vocation de menuisier, toujours au *Mobilier*. Pour compenser mon salaire amputé, je me trouvai d'autres occupations les fins de semaine et les jours de congé. J'étais mon propre patron, sans cassement de tête.

Le premier avantage de ma décision fut de ne plus être en contact avec les "boss"; nous n'avions aucune affinité. Le deuxième avantage, c'était la sainte paix. Je dois avouer aussi que je m'ennuyais de «mes» écoles où je m'étais fait des amis parmi les concierges et le personnel enseignant.

J'ai «fait» à peu près toutes les écoles de la C.E.C.M. (au-dessus de quatre cents). C'est vous dire que j'en ai rencontré du monde.

En plus du personnel des écoles, je connaissais à peu près

tous les employés manuels et une bonne partie des employés de bureau, dû à mes activités syndicales. Le contact avec tous ces gens, ayant chacun leur personnalité, m'a aidé à enrichir la mienne.

Certaines écoles m'avaient adopté. On me demandait par exemple de faire le père Noël à l'époque des fêtes. On m'avait aussi demandé de faire un cours abrégé sur mon métier de menuisier. Dans une deuxième année anglaise, une enseignante francophile m'avait par hasard entendu fredonner la chanson *Fleur de Paris* et me demanda de bien vouloir la chanter aux élèves, ce que je fis, et en prime elle me demanda de chanter *La Marseillaise*. Je lui en chantai deux couplets (j'en connais trois).

Remarquez que ça ne faisait pas partie de mon ouvrage. Je n'en ai pas parlé aux "boss". Je n'aurais voulu à aucun prix qu'ils me fassent concurrence, surtout que la maîtresse était très jolie.

Dans une école française, je faisais quelques réparations mineures avec mon copain Savignac, un homme de mon âge, dans la cinquantaine. Pendant la récréation, un élève écrivait un texte au tableau, sans doute un devoir à refaire. Pauvre petit gars (cinquième année), il y avait au moins une faute par mot. Je lui ai fait rectifier son texte d'un bout à l'autre. Quand la maîtresse est revenue avec ses élèves, elle n'en croyait pas ses yeux, il n'y avait aucune faute.

– Je le savais, dit-elle, que tu étais intelligent et que, quand tu veux, tu peux faire de l'excellent travail.

Et, s'adressant aux élèves :

– Serge n'a fait aucune faute, c'est un exemple à suivre.

Le petit Serge avait les oreilles rouges, mon copain Savignac était en train de s'étouffer de rire. La maîtresse ne pouvait soupçonner une intervention de ma part dans les prouesses de son élève. À l'époque, les gens de mon âge, employés manuels, étaient généralement considérés comme analphabètes.

Les dérogations

Évidemment que j'en faisais, surtout dans des cas d'urgence.

Exemple : j'arrive seul à l'école d'Iberville. Une toilette bouchée par un élève surdoué avait inondé le plancher. Le concierge avait barricadé l'entrée en attendant Godot. Je lui offris de me laisser essayer mon système D, lequel système j'avais appris du plombier de Val-David (en campagne, on se débrouille souvent avec les moyens du bord). Ça a fonctionné, à la grande satisfaction du concierge, qui m'a payé un Pepsi.

Des toilettes et des éviers bouchés intentionnellement, des planchers inondés, c'était fréquent dans les écoles.

Le "mopologiste"

Dans l'après-midi, en descendant au sous-sol, je rencontrai deux plombiers qui jouaient aux cartes en attendant «la patente à gosses» pour faire ce travail. Je n'ai pas dit un mot, ce n'était pas ma «job». Ça aurait pu s'ébruiter et parvenir aux oreilles de mes "boss".

À l'école Saint-Charles annexe, j'étais seul pour des travaux de routine. Le principal me reçut comme son sauveur. Une porte de classe, dont la charnière du haut était arrachée, penchait dangereusement. Le chambranle était hors d'usage, craquelé et fendu de toutes parts, il fallait le remplacer car les vis ne tenaient plus. C'était un travail pour les menuisiers de Simard, moi, j'étais équipé pour les travaux du mobilier.

L'école était un bâtiment du XIXe siècle, avec de magnifiques boiseries. La porte en question était une porte massive avec une vitre épaisse, gravée de motifs décoratifs. J'expliquai ce qu'il en était au principal.

– Ça fait un mois qu'on attend, dit-il. Je crains toujours un accident.

– Bien, je vais essayer de rafistoler ça en attendant, lui dis-je.

T'AS ENCORE RATÉ TES EXAMENS !!!?

— C'EST PAS D'MA FAUTE,
ON M'A POSÉ LES MÊMES QUESTIONS
QU'L'ANNÉE DERNIÈRE...

Ce que je fis.

Quand je suis retourné dans cette école, quelque deux ans plus tard, j'ai jeté un coup d'œil à ma porte : la réparation «temporaire» avait tenu le coup; elle était devenue permanente.

Je vous invite à voir la chose si l'école a tenu le coup !!

D'Arcy-McGee

Cette école secondaire anglaise, sur l'avenue des Pins, est la plus haute de la C.E.C.M. et les plafonds sont également à la hauteur des modes architecturales de l'époque 1900.

Au quatrième étage, j'entre dans une classe vide. Un grand gaillard avait assommé un rival à la suite d'une bagarre. La fenêtre était largement ouverte et le type s'apprêtait à le balancer en bas sur le trottoir. Sa victime était déjà en équilibre instable sur l'allège de la fenêtre. J'ai eu la frousse de ma vie. J'ai sauté sur le dos du type qui était fou de rage. Ça s'est fait tellement vite que sur le coup je ne réalisais pas ce que je faisais, mais j'ai probablement sauvé la vie d'un élève.

Quand l'assaillant a repris ses esprits, il m'a remercié d'être intervenu.

Les anencéphales

C'est un mot qui commence par «ane», mais un âne, c'est super intelligent à comparer avec un anencéphale.

Nous étions quatre sous la direction d'un chef d'équipe (réparations générales et ajustements). Une enfant de deuxième année s'était plainte à la maîtresse que son argent, 15¢, avait disparu de son pupitre. Les soupçons retombant sur nous, nous avons fourni les 15¢ pour régler l'affaire hors cour et, l'ouvrage terminé, nous avons changé d'école.

Cette école était dirigée par des religieuses. Mon chef d'équipe, sans doute amateur de romans policiers pour *minus habens*, demanda le plus sérieusement du monde à la directrice d'avertir les élèves de ne pas laisser d'argent dans leurs pupitres lorsque nous passerons dans leurs classes. Et la directrice, du même âge mental que mon chef d'équipe et parfaitement d'accord avec lui, annonça par l'interphone d'une voix suave et solennelle :

– Un moment d'attention s'il vous plaît. Je m'adresse à toutes les classes: veuillez retirer l'argent que vous pourriez avoir dans vos pupitres quand les ouvriers vont passer dans vos classes pour faire des travaux. Merci !

J'ai déjà été témoin de nombreuses conneries dans mon milieu de travail, mais celle-là en était une sucrée. Les élèves nous regardaient comme si nous étions des gibiers de potence. Mon chef d'équipe a eu droit à mes compliments !!

– Toi, puis la directrice, vous feriez une maudite belle paire d'anencéphales, lui dis-je.

Il n'avait pas l'air de comprendre.

– C'est quoi au juste ?

– C'est encore pire que des microcéphales, lui répondis-je.

Comme vous pouvez le constater, on ne s'ennuyait pas au *Mobilier*. Il y avait souvent des cas tellement imprévisibles qu'ils dépassaient l'imagination.

Les "Douglas"

Nous arrivons dans une école où il y avait plusieurs classes de pupitres "Douglas" à ajuster. Ce modèle de pupitre était ce qu'il y avait de pire, surtout la partie métallique qui était fragile. Le moindre choc la cabossait, ce qui empêchait les pattes réglables de coulisser et ces pattes n'étaient pas graduées pour nous guider sur la hauteur voulue. Elles étaient «chaussées» de rondelles qui faisaient un bruit de ferraille quand on bougeait le pupitre et s'arrachaient à la moindre occasion. Ça prenait absolument un niveau pour faire l'ajustement, sinon le pupitre boitait ou penchait d'un bord ou de l'autre et il ne fallait pas serrer les boulons trop fort, car ils se cassaient facilement.

Quand nous faisions l'ajustement de ces saloperies, certains confrères récitaient des litanies. Ceux qui n'en récitaient pas gagnaient des indulgences. Les pupitres "Douglas" rimaient avec dégueulasses, du nom dont je les désignais.

Comment un fournisseur avait-il pu avoir le culot de refiler une telle marchandise à la C.E.C.M. et comment des «responsables» avaient-ils pu accepter une telle saloperie ? Sans doute un autre mystère des tractations entre amis du pouvoir.

Cependant, les pupitres "Douglas" furent les premiers à disparaître des écoles, ce qui prouve qu'au *Mobilier* on posait parfois des gestes intelligents.

Le Plateau

L'école secondaire Le Plateau au parc Lafontaine était une de nos «grosses clientes» où nous étions sûrs d'avoir beaucoup d'ouvrage.

En arrivant à cette école (nous étions deux), un bruit assourdissant parvenait à nos oreilles. Était-ce une émeute ? J'allai m'informer au concierge de la cause de ce vacarme.

– C'est la dernière journée des classes, me dit-il. Les élèves fêtent l'événement.

C'était un débordement d'enthousiasme dont les Québécois ont le secret.

Nous inspectâmes les lieux comme il se doit pour préparer une liste du matériel à commander à l'atelier. Les classes étaient vides et des élèves déambulaient un peu partout. La première classe où nous sommes entrés était complètement détruite. Tout était massacré : armoires, pupitres, bureau du prof, des vitres brisées; bref, un vandalisme au maximum. Deux autres classes étaient dans le même état. Les autres étaient dans leur état habituel, c'est-à-dire qu'elles avaient besoin de réparations.

J'allai voir le principal et l'invitai à venir constater les dégâts.

S'ÉVADER,
C'EST UN VERBE PRONOMINAL
T'ES CHANCEUX D'ÊTRE INSTRUIT
033
33
1313
?

– Trois classes complètement détruites, c'est grave, me dit-il. Je vais avertir les autorités, qui vont faire enquête. Les dommages représentent une somme considérable.

Nous avons donc fait notre travail dans les autres classes. Deux rigolos nous regardaient travailler. L'un d'eux, hilare, me dit qu'ils continueraient leur œuvre de destruction quand nous serions partis. D'après lui, c'était un moyen de créer de l'emploi.

– Tu ne dois sûrement pas être le premier de ta classe, lui dis-je.

Et mon énergumène de s'esclaffer :

– J'avais le don de faire rire et parfois je faisais rire de moi.

Quelques mois plus tard, de retour dans la même école, je rencontrai le principal et m'informai de la suite des événements.

Voici sa version : «J'ai fait ma propre enquête, les circonstances m'ont aidé. J'ai identifié les élèves qui étaient présents dans ces classes. Ces élèves devaient se présenter un par un dans mon bureau pour obtenir leur bulletin de fin d'année scolaire. La condition *sine qua non* d'obtention du bulletin c'était, pour l'élève, de désigner le leader, car il y a toujours un leader dans un groupe (une forme de chantage en quelque sorte). L'élève, vaguement inquiet, je le rassurais en lui disant: «C'est entre nous, ça ne sera pas divulgué». Finalement, j'ai obtenu trois noms : le champion des trois suspects, issu d'un milieu défavorisé, son père actuellement en prison, la pauvreté absolue, remportait près de 90% des suffrages. La C.E.C.M. a laissé tomber. Les dommages étaient évalués à 10 000$.»

Des travaux inutiles

Bien oui, je vais encore vous parler de pupitres. Difficile de faire autrement, nous sommes dans les écoles. Mais rassurez-vous, les pupitres sont une espèce en voie de disparition, ils sont remplacés insidieusement par des tables individuelles.

Cette fois, c'est à l'école Saint-Henri. Un camion vient retirer trente-cinq pupitres inutilisables. Le concierge avait regroupé dans un local ces trente-cinq pupitres, les plus abîmés condamnés à mort. Dans une école de garçons, un pupitre abîmé, ça veut dire abîmé «jusqu'à l'os».

Lors de l'opération retrait, le concierge était absent et, puisque nous étions en été, tous les pupitres étaient vides. Nos braves journaliers, obéissant à la loi naturelle du moindre effort, retirèrent les trente-cinq pupitres de la classe la plus proche du camion; ces pupitres étaient voués à la destruction et j'étais venu réparer les pupitres martyrisés avant la rentrée des classes. Les dessus de couvercles n'étant plus «regardables», je les ai réinstallés à l'envers, c'est-à-dire sens dessus dessous. Ça n'a l'air de rien, mais c'était beaucoup d'ouvrage. Il m'a fallu varloper le biseau des couvercles en sens contraire, réajuster les charnières et recoller des sièges fendus et autres bobos. Ça faisait des pupitres regardables «sur le dessus». Un travail inutile et frustrant. Au *Mobilier*, c'était fréquent.

Surveillons nos outils

Un vendredi, nous faisions les dernières installations dans une petite école neuve de huit classes, dans un endroit isolé à l'extrémité est de la ville. Cette école sans surveillance était à la merci des vandales et nos coffres à outils à la merci des voleurs jusqu'à notre retour le lundi matin. Nous n'avions pas de voiture pour les mettre en sûreté. Mes deux collègues ont pris le risque de les placer dans un endroit pas trop en vue. Pour ma part, le seul endroit que je trouvai était le dessous d'un tas de plâtras, résidus de la construction récente.

Quand nous sommes revenus le lundi matin, l'école avait eu de la visite. Des jeunes avaient laissé des traces de pas sur les pupitres et les coffres à outils de mes copains avaient disparu. Ces derniers ont essayé de demander une compensation à la C.E.C.M. : NENNI !

Les outils, c'est une partie de nous-mêmes, les travailleurs;

quand on les perd, c'est une grosse perte. Je m'estime chanceux, mes pertes d'outils durant toutes mes pérégrinations dans les écoles n'ont pas dépassé cinquante dollars.

On se la coule douce

À la suite de ma démission de contremaître, je suis le dernier menuisier de la liste.

Nous sommes maintenant trois menuisiers dans le secteur ouest : un menuisier chauffeur, un remplaçant chauffeur, en l'occurrence moi-même, et un troisième menuisier. C'est pour vous dire à quel point ça a changé, auparavant j'étais seul dans le même secteur. Comprenez-vous ça ? Moi non plus.

Le départ a lieu «en principe» vers huit heures de l'atelier, ensuite, arrêt quotidien au restaurant habituel pour le déjeuner du chauffeur où nous rencontrons des cols bleus de la Ville qui suivent le même régime. Dans les écoles, nous faisons du bricolage, les pupitres sont remplacés graduellement par des tables d'élèves. L'ambiance a beaucoup changé. Les polyvalentes sont de grosses bâtisses, peu esthétiques, à l'intérieur desquelles une multitude plus ou moins anonyme déambule d'une classe à l'autre. Les profs et les élèves se connaissent peu, ont l'air blasé. Le «pot» et autre cannabis ont fait leur apparition. Je ressentais toujours un certain malaise quand j'étais dans ces écoles. Je constatais une dégradation générale, du laisser-aller, du débraillé, un manque de discipline, des élèves dépersonnalisés. Le progrès a toujours quelque côté négatif. Les grosses institutions centralisées et étatisées m'ont toujours laissé sceptique.

Pour le retour du trio au *Mobilier*, nous n'étions jamais en retard. Les copains avaient même le temps de jouer aux cartes avant l'heure du départ, 16h30. La belle vie, quoi.

Un syndicat efficace

Notre syndicat affilié à la C.S.N. est le fer de lance des trois syndicats de la C.E.C.M.

C'est dans notre syndicat que l'on trouve les meilleurs négociateurs et les plus combatifs. Leurs vis-à-vis patronaux ne font pas le poids.

Notre syndicat nous a mis au monde. Les humbles et les résignés ont redressé l'échine avec salaires améliorés et sécurité d'emploi, les médiocres ont trouvé le refuge idéal. La première qualité d'un travailleur, c'est son ancienneté.

Une autre preuve récente des prouesses de nos négociateurs, c'est la promotion de cinq de nos menuisiers au rang d'ébénistes, avec salaires améliorés. J'en suis resté baba. J'ai cherché en vain ce qui se faisait comme ébénisterie au *Mobilier*. On y faisait parfois de la menuiserie générale et quelquefois mes services étaient requis, particulièrement pour la fabrication de portes. Je me demande encore c'est quoi un ébéniste d'après les critères du syndicat.

Mendoza

À une certaine époque, nous avions deux surveillants qui venaient nous visiter sur nos lieux de travail, en quelque sorte des «Bou-Bou-macoutes» parfaitement inutiles, avec un salaire «légèrement» amélioré. Je reçus la visite de l'un d'eux. Le monsieur était habillé comme une carte de mode, cravaté, rasé de frais, fleurant la lotion à barbe.

J'étais dans la grande salle d'une école, occupé à fixer un tableau d'affichage. Une extrémité du tableau était retenue par une vis temporairement. Comme j'étais seul, je dis à mon visiteur :

– Tu tombes bien, tiens ton bout, je vais marquer son niveau.

– Pantoute, me dit-il (une expression québécoise signifiant

«pas du tout»), j'vais téléphoner pour qu'ils t'envoient un journalier.

Ça lui donnait l'occasion de confirmer l'utilité de ses fonctions. Pauvre gars, il devait s'ennuyer.

Entre temps, j'ai demandé au premier élève qui passait de tenir le bout une seconde.

Quand mon inspecteur est revenu de son appel téléphonique, le tableau était fixé.

– Comment qu't'as fait ?, me demanda-t-il.

– C'est le Saint-Esprit qui m'a aidé, lui répondis-je.

Mon travail tirait à sa fin dans cette école quand le journalier est arrivé. C'était Mendoza, un jeune homme chétif, timide, esseulé. Ce que je savais de lui, c'est qu'il était persécuté par son père, qu'il était marié mais que c'était son père qui «s'occupait» de sa femme (à Mendoza). Quand je le voyais, Mendoza, j'avais un nœud dans la gorge. Des imbéciles se moquaient de lui, on en trouve toujours hélas pour se moquer des malheureux. C'est pourquoi j'étais content de l'avoir avec moi. Je l'ai mis tout de suite à l'aise en lui parlant comme on parle à tout le monde.

Pour ce qui est de l'ouvrage, je lui laissais faire son possible, c'est-à-dire pas grand-chose. Jamais je ne lui fis un mot de reproche et il était de plus en plus à l'aise en ma compagnie. Pauvre gars, il m'offrait une liqueur ou un café, que j'étais obligé d'accepter pour lui faire plaisir. Je l'ai gardé avec moi environ deux mois, puis j'ai été appelé pour un travail à l'atelier. Mendoza est parti dans une autre école, il avait les larmes aux yeux et moi j'avais de nouveau un nœud dans la gorge.

Les épreuves (1974)

Tout être humain subit des épreuves dans sa courte vie, moi comme d'autres. J'ai été affecté par une arthrite extrêmement douloureuse qui m'a obligé à laisser mon travail pendant environ deux mois. J'ai essayé divers remèdes, divers médecins, sans succès. Finalement, j'ai abouti dans une clinique spécialisée et suivi des traitements appropriés. Mon mal a commencé à se résorber et j'en suis infiniment reconnaissant au docteur Saine qui m'a traité avec sa science et sa compétence acquises avec des années de pratique.

Je reçus un avis de me présenter au bureau du médecin de la C.E.C.M. pour une vérification. L'arthrite est une maladie qu'on peut simuler et ça laisse parfois un médecin perplexe, voire incrédule. J'ai exposé mon cas au médecin.

– Ça fait 21 ans que je travaille au *Mobilier*, lui dis-je, et je n'avais qu'une seule journée d'absence pour cause de maladie avant cette épreuve (c'était la journée de Québec), vous pouvez vérifier. Je souhaite reprendre mon travail au plus tôt, mais j'ai encore les mains douloureuses, surtout quand je manipule des objets lourds, je dois m'asseoir souvent à cause des douleurs aux pieds et je suis encore sous traitement à la clinique.

Il me parla d'un emploi de journalier sur un ascenseur, quasiment à rien faire, ce qui ne m'intéressait aucunement. Finalement, à ma demande, il remplit une feuille de recommandations à présenter au "boss" :

– Éviter pour un certain temps la manipulation d'objets lourds et permission de m'asseoir au besoin.

À l'atelier, je me présentai au contremaître Raymond Belzil, un chic type, un homme compétent et ancien compagnon de travail. Je lui remis la lettre du médecin.

– Ti-Phonse, me dit-il, j'te connais, je sais qu't'es pas un sans-cœur. Soigne-toi selon tes besoins et assieds-toi quand tu voudras.

C'était clair et net. Ce qui était drôle, c'était que ceux qui n'étaient pas au courant de mon cas et qui me voyaient assis pendant l'ouvrage se demandaient s'ils avaient la berlue, car j'étais considéré comme un zélé (au *Mobilier*, c'était un terme plutôt péjoratif).

En effet, j'étais un des rares, sinon le seul, qui ne détestait pas trimbaler des pupitres dans les escaliers. Il y en a qui payent pour faire des exercices physiques, me disais-je, moi je suis payé. J'étais toujours le premier à monter avec un pupitre sur l'épaule. Quand on m'en faisait la remarque, qui était comme un genre de reproche, je contais l'histoire du type qui se mettait des épingles dans le nez et qui avait du plaisir à les enlever parce que ça le soulageait. Et moi, j'avais toujours hâte de monter les bras chargés pour avoir le plaisir de descendre les bras ballants. Ça les faisait rigoler.

Le système métrique

À l'atelier, nous faisions de moins en moins de réparations, les besoins en mobilier étaient au plus bas. La décadence du *Mobilier* était en cours. À quelques reprises, des messieurs bien habillés étaient venus analyser le problème de rentabilité du *Mobilier*. Ils ne m'ont jamais demandé mon opinion. Ça faisait pourtant longtemps qu'elle était faite, mon opinion, depuis mon entrée dans la boîte.

On avait le temps de faire des bricoles. Ma spécialité, c'était ce qui m'était le plus demandé, des coffres à outils et des petits meubles à tiroirs. Vu que c'était gratuit, j'avais une liste d'attente non seulement pour mes confrères menuisiers, mais aussi pour les peintres, les chauffeurs et les journaliers. Seuls les "boss" ne m'ont rien demandé. C'était la plus belle époque de ma «carrière» et mon arthrite était en voie de disparition.

À la même époque, le système métrique venait d'être instauré au Canada et la C.E.C.M. nous invitait à suivre des cours d'initiation à ce système de mesures. Je m'inscrivis immédiatement, c'était aux frais de l'employeur, pendant nos heures d'ouvrage. Ça faisait un dérivatif. La plupart de mes collègues hésitaient. C'était nouveau, les kilos, les hectos, les milli..., ça les déroutait. Mon compagnon d'établi, un brave Madelinot de mon âge, ne voulait pas faire rire de lui, me disait-il. J'ai réussi à le convaincre en l'assurant que je serais à ses côtés pour l'aider au besoin.

J'étais le Jos Connaissant du système métrique. J'étais même devenu le Jos Connaissant tout court. Les copains me consultaient sur une foule de sujets ou sur des discussions où ils n'étaient pas toujours d'accord. J'étais plus estimé de mes compagnons de travail que des directeurs, qui avaient toujours le même air con.

Les cours

Ils se donnaient dans un édifice du gouvernement provincial. Nous étions une trentaine. Notre enseignante était une gentille fille d'une vingtaine d'années. Après quelques mots de bienvenue et de félicitations pour notre participation, elle nous demanda de nous grouper à quatre par table, ce sera du travail d'équipe. Entre temps, j'avais repéré les deux cas les plus désespérés et les invitai à venir s'asseoir à notre table où était mon voisin d'établi.

Un cours pour débutants, c'est pas compliqué. Après les instructions préliminaires, qui ont duré l'avant-midi, la maîtresse remit à chacun de nous une feuille de questions-réponses pour débutants. Mon quatuor obtint 100%. Dans les jours suivants, pour des questions de plus en plus élaborées, nous avions toujours 100% et ça a continué comme ça jusqu'à la fin du cours.

Notre façon de procéder était simple et rapide : je remplissais le questionnaire et mes complices écrivaient les mêmes réponses. Je vérifiais si c'était lisible et si l'un d'eux ne s'était pas trompé de ligne, ce qui arrivait parfois.

Comme toute bonne chose a une fin, la dernière journée arriva et les résultats de chaque équipe furent vérifiés et classés comme il se doit. La maîtresse nous annonça qu'un quatuor avait obtenu 100% et que c'était les quatre messieurs d'un certain âge à la troisième table, ce qui prouve, disait-elle, qu'on peut apprendre à tout âge. Son allocution fut suivie d'applaudissements prolongés.

Nous reçûmes un certificat attestant de nos prouesses et mes copains ont encadré le leur pour l'accrocher dans leur salon.

Monsieur l'aumônier

J'allais quelquefois dans des écoles où il y avait un aumônier, un personnage aujourd'hui, en 1994, en voie de disparition (les jeunes, si vous ne savez pas ce qu'est un aumônier, consultez votre dictionnaire). J'avais, comme il se doit, téléphoné au *Mobilier* pour une commande de matériel pour différentes réparations.

Le commis qui recevait ma commande était un de mes confrères de longue date, on se tutoyait si vous voyez ce que je veux dire, et il n'avait pas la langue dans sa poche. Donc, le commis en question appelle à l'école et demande à parler à monsieur Monnier (c'est mon nom) et c'est monsieur l'aumônier qui est venu répondre, les deux noms prêtant à confusion.

La conversation téléphonique s'est déroulée à peu près de la façon suivante :

– Allô !

– Ouais, c'est moi, c'est pour les vis n° 10 que t'as commandées, j'en ai plus dans l'moment, j'vais t'envoyer de la n° 12, c'est-y correct ?

– Pardon ?

– Cou'donc, es-tu sourd ? J'parle pourtant assez fort.

– Je ne sais pas qui vous êtes et de quoi vous parlez.

– Arrête de faire ton comique, j'suis dans l'"rush", j'ai pas d'temps à perdre avec tes farces plates.

– Je trouve bizarre que vous me parliez sur ce ton.

– Bon, ça va faire, kriss (comme vous savez, un kriss, c'est un poignard), j'vas t'envoyer de la n° 12, crac !

LES DEVOIRS CONJUGAUX???
— C'EST-Y LES VERBES QU'ON NOUS
DONNE À CONJUGUER?
CECM
JEAN PEUPU
2 pour 1
JP
BEBELLES?

J'ai reçu de la n° 12.

Après enquête sur cet incident disgracieux, on a su que je m'appelais Monnier. L'aumônier, ça l'a fait rigoler et je l'ai assuré que j'étais, moi aussi, un genre d'aumônier laïque car je recevais, moi aussi, des confidences qui n'étaient pas toujours bonnes à divulguer.

Un as de l'aviation

– Quel rapport peut-il y avoir entre un as de l'aviation et une école primaire ?, me demandez-vous.

Il y en eut un de très important lors d'une aventure mémorable vécue par un jeune homme féru d'aviation, qui avait loué un appareil pour avoir le bonheur de piloter. Même si le ciel était sans nuage, les bonheurs sans nuage sont brefs. L'état euphorique du pilote s'arrêta brusquement au-dessus de Montréal quand il s'aperçut qu'une longue traînée de fumée s'échappait du fuselage de l'avion.

C'est dans des cas d'extrême urgence comme celui-ci qu'on peut évaluer le sang-froid d'un pilote. Ce n'était plus de la théorie, c'était une action immédiate qui s'imposait. Le plus proche terrain d'atterrissage en vue était une cour d'école!

Pour se hasarder à poser un appareil dans un tel endroit, il faut vraiment ne pas avoir d'autre choix et posséder en plus d'excellents réflexes.

Par chance, nous étions un samedi et la cour d'école était déserte!

Notre as des as, en manœuvrant avec dextérité, en coupant les gaz, en rasant les fils électriques au-dessus de lui et la clôture en dessous, et en évaluant la longueur de la piste improvisée, arrêta la course de son appareil à deux pouces de l'extrémité opposée sans aucune égratignure.

À cette école, Cœur Immaculé de Marie pour ne pas la nommer, boulevard Desmarchais à Ville Émard, je faisais quelques travaux. J'appris la nouvelle par les médias, ainsi que la cause de l'incident qui aurait pu dégénérer en catastrophe.

L'avion en question servait aussi à faire de la publicité; il était muni d'un réservoir contrôlé par le pilote pour libérer une fumée visible du sol avec laquelle on écrivait un message dans le ciel. Notre héros, ignorant ce détail, avait déclenché le système en tâtant ce qu'il avait à portée de sa main.

Je n'ai pas su de quelle façon l'avion fut évacué de la cour; à l'époque, je ne pensais pas à faire d'enquêtes et encore moins à vous narrer ces événements.

Quoiqu'il en fut, le lundi matin, de retour à cette école, je suggérai au concierge d'ériger un écriteau visible du ciel avec l'avertissement :

ATTERRISSAGE INTERDIT !

Ma suggestion fut rejetée «à l'unanimité» par le concierge. J'ai toujours été un grand incompris.

Alerte à la bombe

À une certaine époque, de mauvais plaisants téléphonaient soit à la police, soit à des occupants de lieux publics, leur annonçant qu'une bombe allait exploser dans leur édifice.

Dans l'école Michel-Bibeau à Saint-Michel, où je m'étais introduit avec mon coffre à outils, des policiers, qui faisaient une fouille en règle, m'aperçurent et m'intimèrent l'ordre de ne pas bouger.

Ne sachant de quoi il s'agissait, je restai figé, me demandant si c'était un exercice quelconque. Les élèves et le personnel de l'école étaient rassemblés dans la cour à bonne distance de l'édifice.

Un policier s'approcha de moi, m'examina de la tête aux pieds et me fit vider mon coffre. Constatant qu'il n'y avait rien d'autre que mes outils, il m'enjoignit de quitter les lieux, ce que je fis sans demander mon reste.

Conclusion : c'était une fausse alerte !

Le feu livré aux spécialistes

Les spécialistes, c'était les pompiers de la caserne du village Côte-des-Neiges, derrière l'école Notre-Dame-des-Neiges.

À l'époque des années 50, la collecte des ordures ménagères se faisait avec des camions ordinaires; les «monstres» que nous avons aujourd'hui, qui compressent tout ce qu'on leur donne à avaler, n'existaient pas. La «marchandise» était tassée du mieux possible, ce qui laissait quand même suffisamment d'oxygène dans les interstices pour activer un feu qui avait pris naissance dans le chargement.

De l'école où je me trouvais, un camion avait attiré mon attention par ses coups de klaxon à répétition, une fumée épaisse, des flammes menaçantes, sans parler des odeurs nauséabondes provenant des ordures. Il s'arrêta pile devant la caserne, son chauffeur «débarqua» en vitesse et n'eut pas la peine d'expliquer aux pompiers ce qu'il attendait d'eux. Ces derniers, en quelques secondes, sortirent un puissant boyau et arrosèrent copieusement le foyer d'incendie, qui s'éteignit en moins de cinq minutes.

Le camion continua sa route sans dommage, il bénéficia même d'une baisse de volume de la «marchandise» transportée.

Un feu suspect

Le feu a toujours été un sujet brûlant : le feu de l'action, le feu sacré, le feu aux poudres, le feu à quelque part, etc., tout le monde connaît.

À l'école Saint-Charles, il y eut un feu suspect qui aurait pu entraîner une conflagration.

Un "smatte" avait placé une corbeille remplie de papier dans une armoire de classe et y avait mis intentionnellement le feu.

Un frère enseignant, revenant d'un cours d'étude vers les vingt-trois heures, aperçut une lueur inquiétante dans cette classe. Sans perdre une seconde, il se procura la clef de l'école, s'empara d'un extincteur, bondit dans la classe et parvint à maîtriser le début d'un incendie majeur.

L'enquête s'étant perdue dans la fumée, nous allâmes vider cette classe quelques jours plus tard. Une odeur âcre de bois calciné, de fumée et de produits chimiques nous prenait à la gorge. L'ameublement au complet, une ruine totale, les murs et le plancher étaient recouverts d'un enduit noirâtre et gluant. Tout a été rénové aux frais des contribuables.

Ce genre d'incidents est dû à des rancunes, à des conflits de personnalités entre l'enseignant et l'élève. Le jeune est souvent un radical qui pose des gestes sans en mesurer toutes les conséquences. Celui qui a mis le feu avait pris soin de se camoufler dans l'école après la sortie des classes, il avait quand même eu le temps de réfléchir à ses actes.

Qui a mis le feu ? Je vous assure que ce n'est pas moi.

Le «prof» et ses élèves

Pourquoi, dans certaines classes, n'y a-t-il pas de discipline, ça chahute, ça fait du bruit ? Cela est dû au «prof», qui n'a pas les qualités fondamentales pour occuper un tel poste, je dirais même, une telle vocation.

J'en ai eu souvent la preuve lorsque, dans ces mêmes classes, un autre «prof» prenait la relève pour enseigner un cours subséquent. C'était le calme après la tempête, le silence des élèves attentifs. Qu'avait donc ce «prof» que l'autre n'avait pas ? Il avait des qualités qui émanaient de tout son être et qui influençaient les élèves d'une façon bénéfique. Les élèves, je crois, sont le meilleur juge d'un «prof». Ils respectent ceux qui sont compétents et qui savent leur parler, autrement dit, ceux qui ont la vocation.

Masculin-féminin

Professeur, c'est masculin, instituteur aussi; institutrice, c'est féminin, élève, c'est l'un ou l'autre.

Dans la langue française, le masculin englobe le féminin dans la plupart des mots qui désignent les deux genres. Exemple : les enseignants, les dirigeants, les surveillants, etc.

La structure de notre langue est ainsi faite, on doit s'y conformer. Je trouve ridicule et fastidieux les acrobaties qui soulignent les deux sexes : lecteurs-trices, participants-es, concurrents-tes, etc., c'est faire injure à l'intelligence du lecteur, qui peut être une lectrice.

Loin de moi l'idée de soulever une controverse du genre: dominant-e dominé-e.

D'ailleurs, je vais vous faire une confidence : mon passe-temps favori, c'est d'admirer les femmes, leur charme et les qualités qui leur sont propres, et je n'aurais aucune objection à être une étoile montante au féminin, de préférence à un crétin déclinant au masculin.

Les apprentis

Le "brain-trust" de la C.E.C.M., à l'instigation du syndicat, avait dirigé trois jeunes hommes à notre atelier pour les initier au métier de menuisier. Ils arrivaient en pleine période de décadence. Ils avaient le loisir soit de rester, soit de retourner à leur emploi de journalier.

Sur les trois, un seul a «survécu», les deux autres trouvaient ça «plate», sans aucun intérêt. Je n'en étais nullement surpris.

J'ai quand même été chanceux d'avoir conservé à mes côtés le «survivant», Luc : un jeune homme talentueux, ami du progrès, curieux de tout, abonné à Science et Vie, artiste peintre (et quand je dis artiste peintre, ça veut dire artiste peintre, portraitiste, ne vous déplaise).

Lors d'une exposition de tableaux des artistes amateurs du personnel, ses quatre toiles exposées au siège social avaient été rapidement vendues. J'ai montré à ce jeune homme tout ce que je connaissais, en particulier le traçage au parement, qui est à la base de tout le déroulement des opérations jusqu'au produit fini. Tous les travaux un peu compliqués pour nos confrères passaient par nos mains. Il était très habile, il en a appris de moi et j'en ai appris de lui. C'est un des bons souvenirs de ma carrière à la C.E.C.M.

Ovila

«Le monde sont drôles», comme dirait Clémentine. Ce qui m'a le plus fasciné dans ma longue carrière, ce sont les individus que j'ai côtoyés. Toute la gamme y était, du crétin au génie, du comique au tragique. C'était une comédie humaine de Balzac au niveau du populo. De retour chez moi, j'avais toujours quelque aventure cocasse à raconter.

Les plus comiques dans tout ça, c'était les comiques qui s'ignoraient.

Ainsi au sablage, nous avions Ovila, surnommé Loulou.

Loulou était posté à un endroit stratégique, près de l'entrée des toilettes, un lieu très fréquenté. C'était en quelque sorte la place publique, l'agora du *Mobilier*.

Tous les clients qui passaient par là, Loulou les accostait pour annoncer ou s'informer des nouvelles les plus banales. Sa sableuse portative à rouleau de 3" de large (c'était la plus légère, nous en avions de 4", plus lourdes) avait le même rouleau de papier sablé depuis une éternité et évidemment le même pupitre à sabler. J'avais fait l'expérience de retourner son rouleau à l'envers pendant qu'il était aux informations. À son retour, il continuait tout bonnement son «sablage» comme si de rien n'était, il était bien trop occupé à surveiller le va-et-vient des clients des toilettes pour transmettre et recueillir les dernières nouvelles. Il ne foutait rien, mais il était tellement sympa.

J'arrive un matin.

– Ti-Phonse, me dit-il, l'ancien président du Crédit foncier est mort !

– Toute une nouvelle ! T'es sûr ?, lui répondis-je.

– Oui, oui, j't'assure, c'est dans l'Devoir de c'matin.

Bien oui, il lisait Le Devoir, ça vous étonne ? Moi aussi.

– C'est monsieur Untel, il avait 86 ans, il était né en France, etc., etc.

– T'as bien fait de m'le dire, lui dis-je, sans toi, j'l'aurais probablement jamais su; faut pas que j'oublie d'en parler à ma femme.

Sur ce, je m'en vais trouver mon voisin Alcide, un farceur, et je lui conte «la nouvelle».

– Va lui demander si c'est vrai.

Je les observais à l'écart et je me tordais, tellement ils me faisaient rire. D'un côté, Alcide avec son air faussement innocent, et de l'autre, Loulou et la conviction avec laquelle il donnait ses renseignements, preuve à l'appui; et ça durait un bon cinq minutes.

Cette journée-là, tous les copains qui passaient dans les parages, Alcide ou moi les abordions et les préparions à aller poser «la question». Ils ne comprenaient pas toujours le "joke". «On t'expliquera ça plus tard», répondions-nous. Et Loulou répondait à la «question» avec une conviction qui ne faiblissait pas. Aucune comédie n'aurait pu égaler celle qui se déroulait sous nos yeux.

L'heure du départ étant arrivée, nous avons dû suspendre «nos activités». J'ai tenu parole, j'en ai parlé à ma femme.

Le lendemain, Loulou reprit sa sableuse qui, tout à coup, s'arrêta de fonctionner. Il trouva ça bizarre. J'allai l'essayer, elle fonctionnait. Il reprit sa sableuse, qui arrêta à nouveau; de plus en plus bizarre. Alcide est venu l'essayer à son tour, elle fonctionnait. Avec Loulou, elle retombait en panne. C'était incompréhensible, sauf pour Alcide qui était à portée de main de la boîte aux fusibles et qui contrôlait le courant à volonté.

– Tu devrais en parler au contremaître, lui suggéra ce dernier.

Le contremaître vint essayer la sableuse, qui fonctionnait à nouveau, et il recommanda à Loulou, après avoir levé les yeux au ciel dans un geste de désespoir, de replacer à l'endroit le rouleau de papier sablé que nous avions placé à l'envers.

– C'était là, le problème, lui avons-nous dit, mais il ne paraissait pas convaincu.

Nous avions raison, après cette mise au point, sa sableuse n'a plus eu de panne et Loulou a pu reprendre ses activités de diffuseur de nouvelles.

Alcide

C'était un jeune homme robuste, un homme de la construction, un débrouillard qui entreprenait des travaux à son compte.

À l'atelier, c'était parfait comme compagnon, dans les écoles, c'était un vrai poison. Il ne faisait que perdre son temps, jouer des tours, retarder l'ouvrage, faire damner le chef d'équipe.

J'ai eu affaire à lui, étant chef d'équipe un samedi où j'avais un groupe assez nombreux à diriger, pour un travail à compléter sans faute dans la journée et nous étions payés à temps et demi. Si un chef d'équipe tolère les fantaisies d'un perturbateur, il est fichu, c'est l'anarchie du groupe au complet qui s'ensuit.

Je n'ai pas toléré très longtemps et lui ai dit ma façon de penser en présence du groupe. Ça parlait fort, avec des gros mots «accentués», la grosse engueulade en règle et menaces de sévir. Je suis patient mais, poussé à bout, aucune menace physique ou autre ne peut m'intimider.

Alcide, n'ayant pas aimé mes «insultes», me dit qu'il porterait plainte et que j'aurais affaire au syndicat.

– J'm'en kriss, fut ma réponse.

Ce qui fit rire l'auditoire et contribua à calmer la tempête. La journée se termina à ma satisfaction, nous avons fait notre travail en paix. Et, sur l'invitation d'Alcide, j'ai embarqué dans son «char» et il s'est rallongé pour me déposer à la porte de mon domicile.

Probablement que, si j'avais «plié», il n'aurait pas fait un tel geste. Il m'avait «testé» et maintenant il savait à quoi s'en tenir. Nous avons quand même toujours été copains.

Édouard

Édouard, c'était un journalier en permanence à l'atelier, le spécialiste des mauvaises nouvelles : inondations, tremblements de terre, accidents d'avions et autres catastrophes.

Tous les matins en arrivant, il consultait le thermomètre Celsius avec lequel il n'était pas d'accord parce que c'était nouveau et que ça changeait ses habitudes, et probablement aussi la température : trop chaud, trop froid, il va pleuvoir, il va neiger, etc.

Quand nous avions une journée idéale, il nous assurait que «ça ne durerait pas». Bref, il attirait le mauvais temps rien qu'à le regarder. Il était chauve et les quelques cheveux qui lui restaient sur les côtés, il les retroussait sur son crâne méthodiquement toutes les deux minutes. Je lui avais dit :

– Édouard, tu devrais te laisser pousser les cheveux sur le dessus, me semble que ça te ferait bien.

Il l'avait pas trouvée drôle.

Son copain Gino, un mime parfait, faisait son "show" en imitant son allure, ses gestes, sa trombine, en se passant la main sur le crâne, tout cela sans dire un mot. Édouard, un comique qui s'ignorait, se demandait bien pourquoi on riait.

– Ben, on rit pour pas pleurer, y a rien de drôle sur la Terre.

Sur ce dernier point, il était d'accord.

Le gros Marco ou la force de l'inertie

Surnommé la bombe atomique, euh... hum... euh... menuisier.

Selon une expression imagée typiquement québécoise, le cordon du cœur lui traînait à terre. Il était fort comme un «bœuf». Par contre, la somme de son travail était inversement proportionnelle à sa force et à sa corpulence.

Ce n'est pas lui qui a enrichi la C.E.C.M. Ayant acquis de l'ancienneté, il conduisait une camionnette, ce qui lui permettait de faire ses commissions personnelles pendant ses heures d'ouvrage. Il faisait parfois un détour de plusieurs kilomètres pour s'acheter des cigarettes quelques «cennes» moins cher. Il nous «empruntait» souvent les deux ou trois «cennes» qui lui manquaient pour s'acheter un cornet.

Notre fameuse pause-café avait été, avec les années, allongée à quinze minutes. Lors d'une assemblée syndicale, préliminaire aux négociations, Marco avait suggéré de la faire allonger à vingt minutes, ce qui nous avait fait bien rigoler parce que tout le monde s'y attendait.

Pour se disculper de sa fainéantise, il citait les gens de bureau qui, d'après lui, ne foutaient rien. Je lui rétorquais que, dans ces conditions, nous devions travailler plus fort afin de compenser pour ceux qui travaillaient moins. Il en resta abasourdi.

– Ti-Phonse, tu vas nous faire mourir, me dirent les copains témoins du dialogue.

J'évalue le rendement du gros Marco à 8%, je n'ai pas osé aller jusqu'à 10%; en réalité, ça devrait être 5% mais je suis extrêmement généreux.

Marco a eu une enfance difficile. Son père, un policier,

s'enivrait fréquemment, devenait fou furieux et terrorisait sa famille.

Marco était quand même un gars très gentil, sensible, un inquiet qui avait assez souvent la larme à l'œil. Sa femme était très jolie, je vous dis ça en passant.

Henri

C'était un des grands génies du *Mobilier* : habile de ses mains, imaginatif, autodidacte, imitateur hors du commun pour la voix et le vocabulaire du personnage imité. C'était aussi un athlète, qui s'était mérité à une certaine époque le titre de monsieur Canada junior.

Henri, quand il créait quelque chose, c'était la perfection ou rien. Son chef-d'œuvre, c'était le navire amiral de la marine française à l'époque de Louis XIV et de Colbert, son ministre, un grand homme d'État qui s'occupait de la flotte du roi avec un soin jaloux.

Henri avait fait venir les plans du vaisseau de Paris. Il a tout fabriqué, strictement à l'échelle : l'intérieur du bâtiment avec les divers compartiments, les cabines, les canons et tout le gréement jusqu'en haut des mâts. Tout l'intérieur du navire fut photographié avant la construction de la partie extérieure.

– C'est une merveille, lui dis-je, un chef-d'œuvre qui n'a pas de prix, c'est fait pour les expositions.

– J'vais y penser, me dit-il. J'ai déjà eu des offres mais je ne suis pas pressé.

Comme il n'était jamais à court d'imagination, il n'était jamais inactif. Il fabriquait des arcs. Il avait appris la science du tir à l'arc : le calibre idéal de l'armature, sa courbure, la tension et la résistance de la corde, le matériel de fabrication, l'angle de tir selon la distance, l'utilité de l'œilleton, qui est le dispositif de visée, etc. Inutile de vous dire que ses arcs, fabriqués avec différents matériaux de différentes teintes, étaient splendides. Il faisait ça chez lui ?, me demandez-vous.

Il en faisait le plus possible à l'atelier. Oui, mais son ouvrage?, me direz-vous. Ne parlons pas des absents, vous répondrais-je.

C'est bien beau de faire des arcs et des flèches, mais on ne peut pas pratiquer le tir à l'arc sur la rue Saint-Denis ou sur le boulevard Saint-Joseph. C'est un sport silencieux, dangereux, qui demande des précautions et qui est assujetti à des règlements sévères. Une occasion cependant s'était présentée à lui de le pratiquer, une nuit de pleine lune où deux chats en rut faisaient une sérénade dans sa ruelle : une cible idéale, deux flèches, deux «couing !!» avec l'accent félin. Il m'en a fait d'ailleurs une démonstration avec son talent insurpassable. Je me tordais.

– Le lendemain matin, me dit-il, j'entendis des pleurs et des grincements de dents de certains voisins.

À la même époque, il y avait un congrès eucharistique à Montréal. Les vedettes étaient le cardinal Léger et Son Excellence monseigneur Antuinetti, délégué apostolique représentant le pape. Henri imitait ces deux éminents personnages à la perfection. Il s'était même payé le luxe de téléphoner aux «autorités» du *Mobilier* en personnifiant monseigneur Antuinetti. Cet «éminent personnage» faisait les éloges d'Henri, qu'il avait eu l'honneur de rencontrer. «Il» l'appelait pour une audience à venir le rencontrer à l'archevêché tel jour à telle heure. Cet «auguste personnage» voulait recueillir des renseignements additionnels sur les écoles catholiques de Montréal. Le message lui fut transmis. Le prestige d'Henri atteignit un sommet; il a fini sa carrière dans la peau d'un contremaître, un phénomène inoubliable.

Les cardinaux

Puisqu'il en est question, nous en avions deux au *Mobilier*. C'est-à-dire que leur nom de famille était Cardinal. Ils étaient faciles à distinguer l'un de l'autre : il y avait le Cardinal léger et le Cardinal pesant. Le Cardinal léger était un poids plume, le Cardinal pesant était un poids lourd; tous deux étaient de bons ouvriers. J'ai travaillé un certain temps avec le Cardinal léger : c'était un homme expérimenté, plus jeune que moi, un vrai menuisier, qui était auparavant dans le groupe Simard. Outre sa compétence, il avait un certain don d'acrobate, ayant déjà travaillé dans les hauteurs sur des clochers, entre autres celui de l'église Saint-Jacques.

Quand nous faisions certains travaux, par exemple réparer des fenêtres aux étages supérieurs, il s'aventurait sans hésitation à l'extérieur, là où certains risques étaient toujours présents.

Nous avions chacun notre spécialité. En bref, j'étais responsable de la réparation et lui de l'installation. Ça faisait un bon "match", pour employer le jargon de nos métiers.

Le Cardinal pesant, lui, c'était un costaud qui sortait une honnête journée d'ouvrage. N'ayant pas été élevé au *Mobilier*, il était habitué à faire son travail.

Les frères Pauzé

L'aîné, un menuisier, travaillait à son compte comme rembourreur à Joliette, tandis que le frérot était journalier. C'était des protégés d'Antonio Barrette, ex-premier ministre du Québec. Le rembourreur travaillait le soir jusqu'à des heures tardives et se levait tôt le matin pour faire le trajet Joliette-Montréal. Je le trouvais courageux.

C'était un compagnon qui avait le sens de l'humour, un brin farceur.

Quand il avait la chance de récupérer son manque de sommeil, il ne ratait pas l'occasion. Il trouvait toujours un endroit approprié pour faire un roupillon. Il avait le sommeil dur de celui qui a l'âme en paix. J'allais le réveiller à l'heure du départ.

C'était aussi un joueur de tours : il avait déjà vissé mon coffre en bois sur le plancher, ce qui l'avait fait bien rigoler quand j'ai voulu le transporter à la fin de la journée. La vengeance étant un plat qui se mange froid, j'attendis une occasion qui se présenta à moi pour lui rendre la monnaie de sa pièce.

Dans le fond de son coffre en métal, il avait placé un tapis pour amortir le bruit des manipulations d'outils. J'avais trouvé par hasard une plaque d'acier d'un poids respectueux de la même dimension que le fond de son coffre. Pendant qu'il roupillait, j'ai placé la plaque de métal sous le tapis. Il a trimbalé son coffre alourdi pendant un mois sans comprendre le mystère. Je lui faisais remarquer moi aussi, en vrai hypocrite, que je le trouvais lourd pour le peu d'outils qu'il y avait dedans. Il n'aimait pas tellement ces remarques, mais ça n'expliquait pas le mystère. Finalement, la farce ayant assez duré, je lui dis qu'un farceur lui avait joué un tour et d'examiner le dessous du tapis.

– Ah ben maudit ! Qui c'est qu'a fait ça ? Qui ?

– J'peux pas te l'dire, je lui en ai fait la promesse et je tiens toujours mes promesses.

Il m'a regardé d'un œil dubitatif.

Son frérot

C'était un beau bonhomme, bien astiqué, les mains toujours propres car il ne fichait rien. Sa principale occupation, c'était d'aller aux toilettes, où il y avait un miroir et où il peignait sa magnifique chevelure ondulée. Il nous regardait avec commisération, nous, les humbles travailleurs. Quelquefois, notre ancien contremaître Tremblay grognait quand il l'apercevait, mais ça n'allait pas plus loin.

Ça, c'était sous l'ancien régime, avant l'existence du syndicat. Sous le nouveau régime, ce fut différent. Le nouveau contremaître, après plusieurs avertissements, ne put le convaincre de changer de comportement. Le frérot semblait considérer ses façons de «non agir» comme des droits acquis. Le contremaître n'était pas tout à fait de son avis et finit par faire son devoir, c'est-à-dire lui adresser une mise en demeure en bonne et due forme, ce qui n'eut pas l'heur de plaire au «beau Brummell». Il demanda l'aide du syndicat.

À l'atelier, nous avions le délégué syndical Renaud, surnommé le «renard», défenseur des opprimés, avocat des causes désespérées, le saint Jude du *Mobilier*.

Renaud, malgré tout son talent, toute sa roublardise, ne put trouver un point d'appui pour étayer sa défense. Le frérot fut mis à la porte après «plusieurs années de loyaux services». Ce fut une des rares causes perdues par notre délégué.

Renaud, c'était un astucieux. Étant délégué syndical, ses déplacements «pour affaires syndicales» se faisaient pendant les heures d'ouvrage, aux frais de l'employeur. J'ai travaillé rarement en sa compagnie. Cette journée-là cependant, nous étions quatre et il faisait partie du groupe, dans une sombre cave, à faire un travail peu «valorisant». Robert Savard, un de mes confrères qui le connaissait bien, me dit :

– Il est 8h30, j'te gage cinq «piasses» (une «piasse», ou piastre, en québécois, c'est un dollar) mon Ti-Phonse qu'aux alentours de neuf heures, il va être demandé au téléphone et qu'il devra nous quitter pour «affaires syndicales».

– Qu'est-ce qui te fait dire ça ?

– Il s'arrange avec le «gars des vues» (en québécois, c'est un comparse, un collaborateur). L'ouvrage dans une cave, il n'aime pas ça.

J'ai bien fait de ne pas gager.

Le chanoine

C'est au *Mobilier* que le syndicat prit naissance avec une organisation efficace, et c'est du *Mobilier* que nous eûmes notre premier président et notre premier secrétaire.

Nous avions une foule de talents des plus divers, certains confrères avaient même fait le cours classique, tel que Paul Blain, surnommé «le chanoine» (cours donné par les Jésuites, a même porté la soutane). Il avait même le physique d'un chanoine rondouillard, cultivé, plein de bonhomie, amateur de mots d'esprit et qui nous sortait des locutions latines appropriées aux circonstances. Comme moi, il n'était pas très prisé des "boss", c'est-à-dire des deux directeurs, ce qui me le rendait doublement sympathique. C'était un bon menuisier, chef d'équipe permanent. Les "boss" lui ont mis des bâtons dans les roues pour d'autres promotions. Il disait trop ce qu'il pensait.

Gilles

La pauvreté stimule l'imagination.

Ce jeune homme tranquille, à qui l'on aurait pu donner le bon Dieu sans confession, était occupé à amincir une pièce de monnaie de une cent (en québécois, cent est féminin). Ça m'intriguait et je m'informai du pourquoi de cette opération. C'était d'une simplicité limpide, il suffisait d'y penser. Gilles faisait son lavage à la buanderie, il réduisait les pièces d'un cent à l'épaisseur des pièces de dix cents avec lesquelles les buanderies fonctionnaient.

Une autre preuve que l'entreprise privée est plus efficace et plus économique que l'administration publique.

Quand je vous le disais qu'au *Mobilier* nous avions des collègues aux idées géniales.

C'était pas prévu

Jacques (Jacquot) Chantigny, un gai luron, bon travailleur, débrouillard, aimait mystifier son entourage.

Dans certaines écoles où il y avait une cafétéria, Jacquot, après avoir bu son café, me poussait du coude et commençait à croquer à belles dents, et à ingurgiter, du moins en apparence, son gobelet de carton pendant que des voisins ahuris le regardaient.

Il prenait toujours l'initiative des opérations quand il y

avait un bon coup à faire. Ainsi, notre confrère Derby Masson avait une vieille Coccinelle Wolkswagen qu'il avait rafistolée. La voiture était stationnée devant le perron de l'atelier. Deux menuisiers s'y étaient installés, avec armes et bagages, et attendaient leur chauffeur Derby qui était au bureau, recevant les directives des travaux à effectuer dans une école. La surface du perron dont je vous parle, de la hauteur d'une marche, était faite sur mesure pour faire trôner la Coccinelle.

Jacquot, un type à l'esprit vif et aux décisions rapides, nous en fit la remarque. Comme nous étions une dizaine, nous aussi en attente de nos chauffeurs, il demanda «du bœuf» pour soulever la bagnole et la placer sur le perron pour le plaisir anticipé de voir la tête de Derby à sa sortie du bureau.

L'opération «bœuf» devait se faire sans déranger les deux passagers déjà dans la voiture, ce qui devait faire deux surprises pour le prix d'une. J'y allai moi aussi pour le coup de main mais, comme il y avait un surplus de volontaires, je me contentai de les regarder en me bidonnant. Alors Jacquot, le chef des opérations, y alla du traditionnel OH ! HISSE !

Résultat : le pare-chocs arrière, autrement dit le "bumper", retenu par de la «broche à foin», camouflé artistiquement avec du mastic recouvert de plusieurs couches de peinture, s'arracha du derrière de la délicieuse Coccinelle et resta dans les mains de Jacquot. C'est toujours les événements imprévus qui sont les plus drôles.

Inutile de vous décrire la stupeur, les rires jaunes accompagnés de jurons typiquement québécois, qui s'ensuivirent.

À sa sortie du bureau, Derby eut le souffle coupé en constatant l'état de sa Coccinelle violée, avilie; l'absence du "bumper" lui donnait piteuse mine. Son indignation était mêlée de peine et de compassion pour sa bien-aimée cocotte. C'était sa compagne, sa consolation : il était veuf.

Surmontant ses émotions, il nous déclara cependant que les coupables seraient tenus de payer.

L'enquête fut brève, mais les «négociations» furent longues et ardues, ponctuées de kriss de «barnaques», agrémentées de quelques «cas lisses» et de menaces de poursuites judiciaires.

Finalement, ça c'est réglé hors cour, à l'insatisfaction générale.

Quelque temps après, Derby se débarrassa de sa Coccinelle vouée à la ferraille et, à l'aide des indemnités perçues, il s'acheta une autre «minoune».

Tout est bien qui finit bien.

– Pourquoi l'appelait-on Derby ?, me demandez-vous ? Bien, c'est parce que c'était son prénom.

Les trois fumistes

Je faisais partie du trio, j'en étais même l'âme dirigeante.

Nous étions convoqués à une assemblée du front commun intersyndical au Palais du commerce, voisin de la station de métro Berri-De Montigny, aujourd'hui Berri-UQAM.

En parlant de métro, l'idée me vint de renouveler à la sauce québécoise une comédie loufoque qui s'était déroulée dans le métro de Paris.

J'avoue que mes expériences et mon savoir accumulé, je les dois à ceux que nous appelons vulgairement «les autres». Je suis un plagiaire en quelque sorte. Ce qui m'aidait dans ce projet, c'est que j'ai déjà fait du théâtre amateur. Ça aide aussi à vivre parmi nos semblables.

Donc, j'avais convoqué à la station de métro Sauvé mes deux complices : Jacques (Jacquot) Chantigny, une valeur sûre qui, malgré sa déconvenue dans l'affaire de la Coccinelle, était toujours le même incorrigible farceur, et Raynaldo (Naldo) Savignac, mon compagnon de travail habituel.

Notre objectif était évidemment de rigoler et de faire rigoler les passagers; vous savez comme moi que l'ambiance dans le métro n'a rien de réjouissant.

Comme accessoires, nous avions un téléphone en plastique jaune citron à l'usage des enfants et une sacoche d'écolier; ces deux articles usagés et abandonnés traînaient dans un sous-sol d'école.

Jacquot avait apporté un réveille-matin Big Ben, capable de réveiller les morts, une relique héritée de son beau-père. L'opération minutieusement préparée pouvait débuter.

Naldo, muni de la sacoche usagée remplie de vieux journaux, prit le métro à destination de Berri-De Montigny avec instruction bien précise de nous attendre, la sacoche à la main, vis-à-vis le quatrième wagon du métro suivant, que nous prîmes, Jacquot avec son Big Ben et son téléphone dissimulés dans un sac de papier et moi-même avec un calepin pour prendre des notes fictives, ce qui contribuerait à me donner de «l'importance» aux yeux du public.

J'avais confié le rôle de téléphoniste à Jacquot, connaissant ses talents : il avait déjà côtoyé des artistes de cabaret et il avait une voix nette, facilement audible.

À mi-chemin de notre destination, la sonnerie du Big Ben retentit au-delà de nos espérances, ce qui fit sursauter quelques voyageurs. Avec le plus grand calme, Jacquot «décrocha», sous les regards éberlués des témoins.

– Allô ! oui ! Ah oui ! Oui ! À Berri-De Montigny, oui, t'as les documents ? J'te félicite... oui... non. J'suis avec Ti-Phonse. Hein ? J'suis pas sûr, une minute, j'vas y en parler.

Et, se penchant à mon oreille, il me demanda :

– Y en a-t-y qui nous regardent ?

– J'te crois, la p'tite blonde que tu trouves de ton goût est en train d'mourir de rire, pis ceux qui rient pas ont la bouche grande ouverte.

Jacquot, c'était un vrai pro. Quand le métro était en marche, le bruit empêchant la «conversation», il continuait de parler au téléphone et s'interrompait parfois pour me «consulter». Je lui recommandais surtout de s'occuper uniquement de son travail et de ne pas s'aviser de regarder les voisins.

– Il y a même des curieux qui se lèvent de leur siège pour t'examiner. On te considère comme un farfelu ou un échappé d'asile. Ils vont être surpris à notre arrivée à Berri-De Montigny.

Les «moments forts», c'était quand le métro était aux arrêts, dans le calme. Les dernières «paroles historiques» furent prononcées à l'avant-dernière station.

– Bon Naldo ! Ti-Phonse m'a dit que c'était légal, t'as pas à t'inquiéter. Surtout lâche pas la sacoche, on arrive, on est dans le quatrième wagon.

Les voyageurs, de plus en plus intrigués, tout en rigolant, attendaient avec une curiosité mêlée de doute le dénouement de cette aventure rocambolesque.

Ils ne furent pas déçus. Naldo nous attendait vis-à-vis le quatrième wagon, sérieux comme un pape, tenant solidement la précieuse sacoche. Pour faire bonne mesure, nous échangeâmes ostensiblement poignées de mains, accolades, tapes sur l'épaule devant les témoins médusés. Ce fut un éclat de rire général.

Notre objectif était atteint. La sacoche et le téléphone ont été abandonnés dans les toilettes du Palais du commerce.

Latreille

C'était un journalier qui abusait du droit qu'ont les hommes d'être laids.

Un nez aplati qui le faisait nasiller, des lèvres épaisses, une bouche édentée, un menton qui descendait à la verticale, des lunettes double épaisseur, le front dégarni, ce qui contribuait à lui allonger le visage; en résumé, il faisait peur aux moineaux.

Apparemment, il semblait s'être habitué à son aspect physique, nous aussi. Cependant, de temps en temps il était l'objet de quelques taquineries devenues classiques, mais qui frisaient la cruauté, du genre :

– Latreille, fais-nous peur avec ton visage.

Il se contentait de sourire, ce qui était loin de l'embellir.

Latreille, c'était un honnête journalier. Moi je le trouvais sympathique.

Guglielmo

Parmi les gens remarquables que j'ai côtoyés au *Mobilier*, il y eut pour un court laps de temps Guglielmo Cusano, natif de Campo Basso, en Italie.

Ce jeune homme y a travaillé temporairement un été, étant étudiant (il n'a pas subi de hernie, rassurez-vous).

Ayant beaucoup de talent, il évolua rapidement dans le domaine de l'enseignement et devint directeur de l'école Pius the Tenth Annex. Il consacra son énergie à défendre ses compatriotes d'origine «menacés» par la loi 101. Il fut l'âme dirigeante du mouvement pour contrecarrer la loi et le principal instigateur des classes parallèles anglaises pour les petits Italiens condamnés à l'école française.

Des levées de fonds parvenaient des écoles anglaises pour leur venir en aide. Ses compatriotes, en reconnaissance, l'ont élu député à vie du comté de Viau, où est concentrée une nombreuse colonie italienne.

Guglielmo a troqué son prénom pour celui de William (Bill pour les intimes). C'est le "whip", c'est-à-dire le fouet (fouette en québécois) du Parti libéral. Son copain Ryan lui a rendu un fier service en accordant l'absolution aux illégaux qui violaient la loi sur la langue d'enseignement. Le copain Ryan, pour faire bonne mesure, a fait adopter la loi 86, premier coup de pioche à la démolition de la fragile loi 101. C'est pas beau ça ?

LA PROF DE FRANÇAIS

JE VOIS SUR VOTRE FACTURE:
CHOKE, STARTER, BUMPER, KIT,
BOOSTER...
C'EST PAS RICHE EN FRANCAIS
TOUT ÇA !!!

— BEN QUOI? J'AI POGNÉ ÇA
DANS LE P'TIT LAROUSSE...

Loto-Québec

Il y avait toujours et partout un vendeur de billets. J'achetais une Mini parce que c'était un collègue; en dehors de ça, je n'en achetais jamais. Les numéros de la Mini se suivaient dans l'ordre numérique.

Une bonne journée, le numéro qui précédait le mien gagnait 5 000$. Mon compagnon d'ouvrage me le fit remarquer car il avait le numéro qui précédait celui du gagnant, qui était Réal Meilleur. Ce dernier, cette journée-là, travaillait dans une école et mon collègue s'empressa de lui téléphoner pour le féliciter.

Réal était originaire de la région de Mont-Laurier. Il devait avoir une trentaine d'années. C'était un excellent menuisier, travailleur, débrouillard aussi bien dans la mécanique que dans d'autres travaux, un type intelligent, toujours de bonne humeur et père de six enfants.

Il avait gardé un visage d'adolescent à tel point que son apparence juvénile lui avait joué un mauvais tour quand il s'était présenté pour un emploi sur un chantier de construction. On lui avait dit qu'on engageait de préférence les pères de famille. Il eut beau insister qu'il avait quatre enfants (à l'époque), il lui fut répondu d'aller raconter ça aux pompiers.

– J'me demandais c'que les pompiers avaient à faire là-dedans, me dit-il.

Il avait le sens de l'humour, Montréal (mon Réal), comme nous l'appelions souvent.

Il fut tout surpris d'apprendre cette merveilleuse nouvelle. Comme beaucoup d'autres, il achetait son billet et n'y pensait plus.

Dans un premier mouvement, il fouilla dans son portefeuille. Pas de billet. Ensuite, dans ses poches, dans son coffre d'outils, dans sa voiture. ZÉRO billet. Chez lui, quand il fut de retour, partout, partout. ZÉRO. Il démantibula même les sièges de sa voiture, aucun résultat, il ne put jamais mettre la main sur ce damné billet.

Ça m'a fait de la peine car 5 000$, à l'époque, c'était considérable pour un travailleur père de six enfants.

Un journalier qui demeurait à Mascouche fut plus chanceux, il avait gagné 50 000$. Sa femme et lui avaient passé la nuit blanche.

Le matin, en se rendant à l'ouvrage, il avait acheté quatre fois le même journal pour s'assurer qu'il ne rêvait pas. Il avait même vérifié une cinquième fois dans le journal d'un collègue en arrivant à l'atelier.

Gagner à la loto, ça ne change pas le monde, sauf que...

En voulez-vous des horloges ?

Dans les classes de nombreuses écoles, il y avait des horloges «manuelles». Le concierge faisait sa tournée quotidienne pour les «remonter». Ces horloges furent remplacées par des horloges électriques. Qu'étaient donc devenues les horloges disparues ?

J'en eus la réponse par hasard lors de travaux que j'effectuais dans une cave d'école. Des centaines de ces horloges y étaient entreposées en attendant leur «évacuation». Elles ont attendu environ un an, puis furent envoyées à l'abattoir.

Vers la même époque, une mode rétro ayant fait son apparition, ces horloges étaient recherchées à prix fort par des collectionneurs, mais elles étaient devenues introuvables. S'il y en avait encore, des concierges devaient les conserver jalousement. Faute d'avoir l'horloge authentique, certains menuisiers en fabriquaient des imitations postiches pour des amateurs nostalgiques.

La fortune est parfois capricieuse, on passe souvent à côté sans le savoir.

Ça sert à rien de s'énerver

Robert Savard et Frank Cusano étaient deux inséparables, bons travailleurs et, ce qui plus est, deux charmants garçons dont je garde le meilleur des souvenirs. J'ai travaillé plusieurs fois en leur compagnie. Ils étaient beaucoup plus jeunes que moi, ce qui me convenait, étant moi-même resté jeune de caractère, même qu'au moment où j'écris ces lignes (nous sommes en 1994), on me dit que je retourne en enfance, ce qui est une pure illusion, car je n'en suis jamais sorti. Je ne vous dirai pas mon âge, mais j'avoue quand même être né en 1914 et avoir déjà vu neiger.

Donc, ces deux copains m'appelaient Ti-Phonse, comme tout le monde. Ils connaissaient comme moi le système du *Mobilier*, si on peut appeler ça un système, et nous en parlions souvent.

Une bonne journée, Frank, secondé par Robert, me suggéra de composer une chanson sur le sujet. J'étais flatté de la confiance qu'ils témoignaient pour mes talents de scribouillard.

Frank était musicien accordéoniste, un vrai pro qui jouait dans les clubs, les réunions, les mariages, ce qui m'encouragea à acquiescer à leur demande. En outre, le *Mobilier* vivait ses derniers beaux jours. Les messieurs qui faisaient enquête sur sa «rentabilité» en étaient venus à la conclusion, après des années d'études sur la question, que la meilleure solution, c'était la fermeture de la boîte. C'est pourquoi la chanson projetée devrait être une chanson souvenir, en quelque sorte une synthèse de l'aventure du *Mobilier*. Nous étions d'accord sur ce point.

Je n'avais pas encore écrit la chanson, mais j'en avais déjà trouvé le titre (*Ca n'sert à rien de s'énerver*). Pourquoi ce titre? Parce que c'était en résumé le leitmotiv du *Mobilier*. Je l'ai entendu souvent textuellement : «Ça n'sert à rien de s'énerver, on travaille pour la Commission (sous-entendu, scolaire)». Certains ajoutaient : «Au bout d'l'année, t'es pas plus avancé». C'était une vérité qui émanait de la sagesse populaire. J'avais remarqué aussi que les fainéants s'y référaient souvent et qu'ils ne refusaient jamais cependant de faire des heures supplémentaires payées à «temps et demi».

L'horloge pointeuse

Quelques mots pour vous dire que ça fait belle lurette qu'elle a été supprimée, après les attaques incessantes de ceux à qui elle compliquait la vie. À cause d'elle, pas moyen d'arriver un peu beaucoup en retard et pas moyen de partir en douce un peu beaucoup avant l'heure. Tous les trucs ont été utilisés pour la détraquer. La dernière tentative, qui fut son coup fatal, ce fut d'introduire de la mélasse à l'intérieur de l'appareil. J'appris de cette expérience que la mélasse pouvait être utilisée en dehors de la cuisine.

La fermeture

La fermeture de l'atelier se fit à la veille de Noël 1978. Le démantèlement des installations était en cours. Nous serions dorénavant éparpillés dans différents secteurs de la C.E.C.M.

Nous faisions maintenant partie des travaux généraux, autrement dit, des ouvriers de Simard. Certains de mes confrères étaient quelque peu inquiets. Changer de routine, ça dérangeait surtout ceux qui étaient peu qualifiés ou habitués à regarder travailler les autres. Il fallait cependant faire face à la musique.

En parlant de musique, nous avions organisé une petite fête à la bonne franquette pour fêter Noël et faire nos adieux mutuels. Chacun y alla de son numéro et je vous prie de croire qu'il y en avait des rigolos.

C'était l'occasion idéale d'étrenner ma petite chanson, toute simple, à peine caricaturale puisqu'elle disait des vérités à peine exagérées. Frank m'accompagnait à l'accordéon. Voici ce que ça a donné :

Ça n'sert à rien de s'énerver

I

Permettez-moi de venir vous chanter
Une p'tite chanson qui n'est pas ordinaire
J'vais vous conter sans trop vous énerver
Les aventures d'un gars du *Mobilier*

Refrain

Ça n'sert à rien de s'énerver
On travaille pour la Commission scolaire
Ça n'sert à rien de s'énerver
Au bout d'l'année t'es pas plus avancé

II

Un jour montant les maudits escaliers
Sur mes épaules un vingt-six pouces «Mobile» [5]
J'rencontre un gars qui pour m'encourager
M'dit : «Chante-moi donc la valse du *Mobilier*»

Refrain

Ça n'sert à rien...

III

Avec un type un beau jour j'arrivai
Dans une école pour "scraper" les pupitres
Mais mon copain le visage allongé
M'dit : «C't'ouvrage-là moi j'peux pas l'digérer»

Refrain

Ça n'sert à rien...

IV

Avec un autre encore plus emplâtré
Avec les pieds dans la même bottine
J'me morfondais j'étais découragé
Pour me calmer il s'est mis à chanter :

Refrain

Ça n'sert à rien...

---

5 Un vingt-six pouces «Mobile», c'est un pupitre «Mobile» pesant quatre-vingt-cinq livres.

6/8
Permettez-moi de ve- nir vous chanter une p'tite chanson qui n'est pas or - di - nai- re
3/8
6/8
J'vais vous conter sans trop vous é - ner - ver Les aventures d'un gars du MOBILIER
Ça n'sert à rien de s'é - ner - ver On travaille pour la Com - mission scolaire - re.
3/8
Ça n'sert à rien de s'é - ner - ver Au bout d'l'année t'es pas plus a - van - cé.

V

Un autre me dit son dîner terminé :
«J'vais m'allonger moi l'ouvrage me fatigue
Vers les quatre heures tu viendras m'réveiller
C'est vers c't'heure-là qu'j'arrête de travailler !»

Refrain

Ça n'sert à rien...

VI

Pour nos griefs faut pas s'décourager
J'suis allé voir une cartomancienne
Elle m'a prédit qu'dans une centaine d'années
Qu'nos p'tits problèmes seraient bientôt réglés

Refrain

Ça n'sert à rien...

Fin

Ma petite chanson en a fait rire plusieurs et ceux qui riaient le plus étaient ceux qui voyaient la paille dans l'œil du voisin.

Les travaux généraux

Comme l'indique l'adjectif, c'était à peu près tout ce qui se présentait. Pour nous, les menuisiers, c'était la réparation de portes, fenêtres, meubles, serrures et armoires, de métal si possible, et quelquefois la fabrication.

L'ouvrage ne manquait pas, le vandalisme nous tenait occupé, surtout dans les écoles polyvalentes. Nous formions, le Cardinal léger, Georges Poitras et moi-même, un trio qui s'entendait bien. D'ailleurs, je m'entendais toujours bien avec mes confrères.

Ce qui facilitait notre tâche, c'est que nous ne travaillions pas sous pression, nous n'avions aucun stress, jamais de reproche, ni du contremaître ni des directions d'écoles. La «job» idéale, quoi !

Ce que je trouvais triste cependant, c'était le peu de respect pour le bien public de la part de chenapans qui s'amusaient à détériorer tout ce qui leur tombait sous la main. C'était évidemment une petite minorité, mais combien nuisible.

Sambre et Meuse [6]

Une classe où il y avait de l'harmonie, c'était «bien entendu» la classe de musique de l'école Louis-Joseph-Papineau, renommée pour la qualité de son enseignement.

Nous avions fait, dans cette classe, quelques réparations de lutrins et autres accessoires. Le prof était tellement content de notre travail, qu'il nous offrit une audition d'une pièce musicale de notre choix. Mes compagnons m'ayant laissé choisir, je choisis Sambre et Meuse.

À l'heure convenue, après des exercices préliminaires très soignés, l'orchestre nous joua Sambre et Meuse de façon magistrale. Nous en fûmes épatés et nous félicitâmes le prof et les exécutants. Celui-ci semblait intrigué que j'aie choisi Sambre et Meuse, et il m'en fit part.

– Je suis amateur de musique militaire, lui répondis-je. Sambre et Meuse, c'est viril, c'est énergique et ça évoque très bien la fougue et la détermination des employés de la C.E.C.M., lui dis-je en faisant un petit clin d'œil.

– Vous m'avez l'air d'être un joli farceur, me dit-il.

Je me demandais ce qui lui faisait dire que j'étais joli.

– Ce qui m'a doublement surpris, me dit-il, c'est que je suis moi-même originaire de la région de Sambre et Meuse en Belgique (chose que j'ignorais).

J'ai gardé un excellent souvenir de cette classe modèle. Des élèves motivés, un prof compétent, ça existe encore, il ne faut pas désespérer.

---

6 Sambre et Meuse: nom d'une célèbre marche composée en 1879 par Rauski, chef de musique militaire français, sur un air de Robert Planquette.

Les pensionnaires retraités

Je m'en occupais au début de notre syndicat, j'en étais le représentant à l'administration.

Les premiers qui prirent leur retraite attendirent des semaines avant de toucher leur premier chèque (bien modeste). C'était nouveau et une grosse machine, c'est plus long à faire démarrer qu'une bicyclette. Je reçus un appel d'un nouveau retraité qui commençait à perdre patience et qui me demandait de faire quelque chose pour activer son dossier. Mes pouvoirs étaient limités, mais je savais que c'était sur le point d'aboutir et je lui promis de faire tout mon possible. Par un heureux hasard, deux jours plus tard, il recevait son premier chèque, rétroactivité incluse, ce qui me fit connaître pour ma célérité (le hasard nous aide parfois).

Aux assemblées de la caisse de retraite, auxquelles j'assistais, nous avions les statistiques des nouveaux employés, des retraités et des décédés. Ce qui m'avait frappé, c'était la moyenne d'âge des décédés, soit environ 67 ans et 6 mois. Autrement dit, ils mouraient environ deux ans et demi après avoir pris leur retraite. Certains confrères étaient même décédés avant d'avoir touché leur premier chèque.

L'arrêt subit d'un emploi sans période préparatoire, sans transition, était pour beaucoup d'employés un choc traumatisant. Mon collègue Savignac, qui avait comme moi des vacances d'un mois, se morfondait en attendant le retour à l'ouvrage. Il redoutait tellement sa retraite future qu'il est mort peu de temps avant la date fatidique.

À mon avis, on devrait s'y préparer tout au long de notre vie. J'en connais plusieurs de mon âge qui se sont «épanouis» à leur retraite.

L'expérience acquise est un atout considérable, il faut en profiter et prendre soin de son capital santé. On évolue tant qu'on vit.

Certains ont entrepris une nouvelle carrière dans la finance, les loisirs, le bénévolat.

Un de nos retraités a fondé un club de «Scrabble Duplicate» en 1979. Son club fonctionne 52 semaines par année et c'est le doyen des 50 clubs de la Fédération québécoise de «Scrabble Duplicate», qui compte 1 500 membres.

Les grèves

J'ai assisté à deux grèves de courte durée.

Lors de la première, à l'occasion de notre deuxième convention, le syndicat avait demandé des volontaires pour faire du piquetage devant les écoles. En réalité, ces volontaires étaient rares, j'étais le seul dans l'ouest devant l'entrée de l'école Mary-Mount, une grosse polyvalente anglaise dans Côte-Saint-Luc.

Je n'en menais pas large avec ma pancarte C.S.N. La plupart des autres «volontaires» étaient massés devant le *Mobilier* ou devant le siège social de la C.E.C.M. J'ai trouvé la journée longue.

Finalement, une estafette est venue me recueillir pour assister à une assemblée dans un sous-sol d'église où l'on nous a donné les dernières nouvelles des négociations, qui s'annonçaient «encourageantes».

À la suite de cette grève, qui a duré deux jours, notre chèque de paye s'en est évidemment ressenti et certains confrères en furent désagréablement surpris (quand tu es gâté, tu as des réactions d'enfant gâté).

À la deuxième grève, nous faisions partie du front commun qui réunissait les trois fédérations les plus importantes. C'était impressionnant, nous étions nombreux. À cette occasion, les trois syndicats de la C.E.C.M. défilaient, dirigeants en tête, autour du siège social. Parmi eux, un «animateur», muni d'un porte-voix, clamait à tous les vents : «Drapeau... au ! Trudeau... au ! Garneau... au !» Mange de la marne !, répondait l'écho.

La marne, comme chacun sait, est un mélange de calcaire

et d'argile, ça ne doit pas être tellement digestible. Néanmoins, l'animateur claironnait son message avec beaucoup d'insistance.

Ces bonnes paroles prêtaient à confusion, car il y en avait parmi nous qui comprenaient mal. Ma modestie naturelle m'avait placé dans les derniers rangs du défilé et je me demandais qui était cet hurluberlu qui diffusait ce message. Finalement, à un détour où l'on pouvait voir le peloton de tête, j'aperçus mon président syndical, le propagateur de cette annonce publicitaire !

Sacré Maurice ! Tu nous a fait rigoler, mais je ne sais toujours pas pourquoi tu recommandais, «si j'ai bien compris», à ces hauts personnages de manger de la marne.

Les pouilleux

Nous étions à l'époque Trudeau, premier ministre du Canada, un homme qui n'avait pas peur de dire ce qu'il pensait des Québécois, qui parlaient, d'après ses propres mots, un français pouilleux.

Je trouvais ça méprisant à l'endroit des francophones. Le langage du peuple, comme partout dans le monde, ce n'est pas le langage châtié des académiciens, ni la langue de bois des politiciens, c'est la langue imparfaite de la majorité, le matériau solide sur lequel est érigé l'édifice culturel et linguistique d'une nation, c'est le langage le plus important.

Les belles phrases, la littérature, la poésie, c'est très beau, c'est la dentelle des rideaux du salon, mais à condition d'avoir une maison construite sur une base faite de matériaux rugueux, solide comme le roc, autrement dit, la langue du peuple.

Ce préambule pour vous dire que deux confrères avaient des travaux à effectuer à l'école polyvalente anglo-italienne John-Kennedy, érigée en plein milieu francophone. Quand il y a une classe vide sur l'étage, ce qui était le cas, on demande au prof de bien vouloir s'installer temporairement dans cette autre classe pendant la durée des travaux.

L'occasion était trop belle pour qu'un étudiant plus "smatte" que les autres en profite pour déclarer à haute voix :

– Encore deux Français pouilleux qui s'en viennent nous déranger !

Ce qui fit s'esclaffer toute la salle, y compris le prof.

C'était un incident révélateur du peu d'estime dont les francophones étaient l'objet. Mes deux copains furent offusqués, moi ça ne m'a pas surpris. Quand on ne se fait pas respecter comme peuple, on en subit les conséquences.

Donc, Paul Saint-Cyr et Derby Masson, deux hommes dans la cinquantaine, sans dire un mot, reprirent leurs outils et quittèrent les lieux sans faire la moindre réparation. Bravo ! La journée même, ces deux nostalgiques de l'Union nationale allèrent s'inscrire au Parti québécois, dont les bureaux étaient voisins du *Mobilier*.

Réflexion en passant : John F. Kennedy, je me demande ce qu'il a fait pour le Québec pour avoir son nom inscrit sur la façade d'une grosse école polyvalente.

Paul Saint-Cyr

Puisqu'il en est question, c'était un menuisier expérimenté, un homme placide qui ne faisait pas grand tapage. Il faisait lui aussi partie des phénomènes qui foisonnaient au *Mobilier*. À l'occasion de réunions avec nos épouses, lors de soirées amicales où il y avait danse et spectacle d'amateurs, il nous faisait une démonstration de son savoir-faire. C'était un hypnotiseur magnétiseur de grand talent. Toute la gamme des expériences du magnétisme, jusqu'à la catalepsie la plus rigide, y passait. La base du magnétisme, me disait-il, c'est la concentration de la pensée.

C'était sûrement un grand penseur, car il était réellement bon.

Derby Masson

Lui, c'était un grand naïf, serviable, bon travailleur, bricoleur, «patenteux», natif de Saint-Léon-le-Grand (comté de Maskinongé).

– Saint-Léon-le-Grand, lui avais-je demandé, il était-y si grand qu'ça ?

– J'te cré, m'avait-il répondu, si tu voyais sa statue en avant d'l'église. Tiens, pour te donner une idée, il a les pieds «ça d'long».

– Sacré Derby !

Un inquiet

Paul-Émile, un journalier, sortait rarement de l'atelier. C'était un homme fiable qui faisait son travail consciencieusement.

Mais Paul-Émile était un angoissé pathologique. Il se faisait de la bile pour pas grand-chose et craignait toujours de manquer son coup.

On l'avait chargé de diriger une équipe de journaliers pour un travail de routine dans une école. Vu que c'était sa première expérience du genre et que l'ouvrage devait se faire le lendemain, il avait passé la nuit blanche, même après avoir absorbé un somnifère. Ça s'est quand même bien passé puisqu'il a survécu à cette épreuve.

Une pire épreuve l'attendait quelque temps plus tard à l'occasion d'un voyage en Espagne organisé par son débrouillard de beau-frère, en compagnie de leur épouse.

Paul-Émile, qui n'avait jamais pris l'avion, en avait une crainte morbide. Il m'en parlait tous les jours et j'essayais de le rassurer avec de bonnes paroles du genre : «On ne meurt qu'une fois, nous sommes tous des condamnés à mort, l'essentiel, c'est d'être en état de grâce, etc.» Vaines paroles; plus la date du départ approchait et plus sa terreur s'amplifiait.

Finalement, Dieu eut pitié de son enfant. À la suite de troubles en Espagne, occasionnés par une tentative de coup d'état, la compagnie aérienne dut annuler le voyage.

Paul-Émile, délivré de ses angoisses, poussa un soupir de soulagement. Ce voyage manqué fut probablement le plus beau voyage de sa vie.

Les contrats de peinture

Chaque été, la C.E.C.M. faisait peinturer certains locaux. Des confrères, qui étaient en vacances (jusqu'à un mois pour la plupart), pouvaient offrir leurs services au prix convenu pour ce travail. Ces confrères engageaient peintres et journaliers selon l'importance du contrat.

Claude Chagnon, un confrère menuisier, s'était spécialisé dans ce genre de travaux. Jamais, cependant, il n'engageait des hommes du *Mobilier*. Je lui en avais fait la remarque.

– J'les connais trop, me répondait-il.

– Oui, mais quand ils travaillent ailleurs qu'à la C.E.C.M., me semble que...

– Je préfère ne pas prendre le risque.

Claude, au *Mobilier*, c'était un nonchalant; dans ses travaux de peinture, ça marchait rondement.

Le frangin de Claude, André de son prénom, pour nous prouver à quel point il avait des appuis solides dans le milieu politique au pouvoir (son père étant un organisateur haut de gamme, d'après lui), non seulement ne fichait rien mais nous nuisait dans notre travail. Il «s'amusait» à bloquer les portes des classes, à cacher nos outils, les pots de peinture, à faire damner le chef d'équipe et autres stupidités. Il nous a emberlificotés environ deux semaines pendant que nous faisions un grand ménage dans une école. Finalement, il lui fut demandé de bien vouloir se présenter au grand bureau. Ça le faisait rire.

Apparemment, ses appuis politiques se sont effondrés.

Nous n'avons jamais eu le plaisir de le revoir pour le féliciter de nous avoir débarrassé le plancher.

Moi, comme d'autres, pour mettre du beurre dans les épinards, nous faisions quelques travaux en dehors de notre travail régulier.

Je travaillais à temps partiel comme agent d'assurance-vie pour la Société des Artisans. Un de mes clients, peintre en bâtiments, me demanda si je connaissais un ou deux peintres pour une partie de l'été. Je lui parlai de mes confrères de la C.E.C.M. Sa réponse fut sans équivoque :

– Les gars d'la C.E.C.M., pis d'la Ville, pis du C.P.R. (prononcez «ci-pi-are»), j'veux pas en entendre parler, me dit-il.

À n'en pas douter, notre réputation était officiellement reconnue URBI et ORBI. Mince consolation, nous n'étions pas seuls dans le collimateur.

Un litre d'eau pèse un kilo

Ami lecteur, je ne veux pas abuser de votre bienveillance, c'est pourquoi, parmi les mille et un incidents dont je fus témoin aussi bien qu'acteur, celui-ci sera le dernier que j'aurai à vous conter.

Lors d'un grand ménage d'été dans une école, nous avions, comme c'était la coutume, des étudiants dans notre groupe et parmi ceux-ci un grand veau qui employait tout son talent à emmerder ses copains en les aspergeant d'eau avec un pistolet, son passe-temps préféré. Inutile de vous dire qu'à part cela, il ne fichait rien. Ses taquineries s'étaient transformées en «combat amical» à coups de torchons imbibés d'eau, dans la meilleure tradition estudiantine.

Pendant la pause du midi, j'étais en compagnie d'Antoine Lavoie, un homme de mon âge qui faisait comme moi du "scrapage" dans cette école. Il me fit remarquer que le «grand veau» dont il est question était étendu, le torse nu, le dos sur le gazon, vis-à-vis la fenêtre du troisième étage où nous étions en observation.

Antoine, un homme sagace qui connaissait le tabac, m'apprit un truc très simple que je ne connaissais pas.

– Tu mets de l'eau dans un sac de papier, me dit-il, tu le places en droite ligne sur la cible qui est en bas et tu le laisses aller. La loi de la gravité fera le reste.

Je trouvais son idée merveilleuse. Cependant, je lui dis :

– J'ai appris à l'école qu'un litre d'eau pèse un kilo et nous sommes au troisième étage, alors vas-y mollo. Autre condition, sitôt le projectile en chute libre, nous descendons à toute vitesse à l'étage en dessous où je t'expliquerai benoîtement comment on affile un "scrapeur", en attendant les répercussions de cet acte criminel.

Ce qui fut dit fut fait.

Au moment de l'impact, nous entendîmes un hurlement et, dans les secondes qui suivirent, un grand gaillard furieux se précipita dans les escaliers pour rejoindre le troisième étage. Dans sa hâte, il m'a même quelque peu bousculé, sans prendre le temps de s'excuser.

Nous nous interrogeâmes, Antoine et moi, sur le «pourquoi de ce soubresaut».

La victime fit le tour du troisième à une vitesse folle, sans mettre la main au collet du coupable. Quand il redescendit, nous nous informâmes de la cause de cette irruption intempestive. Après ses brèves explications, la bouche haletante, il nous dit :

– Si je mets la main sur ce kriss d'écœurant, il est pas mieux que mort.

Nous trouvions cela épouvantable et nous lui donnions raison, en vrais hypocrites. C'est pas des farces à faire !

Les privilégiés

Ces faits vécus par un individu pourraient s'additionner ou même se multiplier. D'autres que moi ont aussi vécu leurs expériences de même nature. Ça donne une idée du laxisme et, n'ayons pas peur des mots, de l'anarchie qui régnait dans notre milieu de travail. C'était quand même une anarchie merveilleuse. Travaille, travaille pas, ta paye était assurée et tu avais la protection du syndicat. Tu avais des "boss" qui aimaient mieux ne pas te voir. Tu pouvais prendre le temps de vivre et de rigoler.

Les employés en surnombre, c'était quand même des chômeurs en moins. Probablement que le *Mobilier* avait trouvé le secret du plein emploi.

Nous avons été des privilégiés et je remercie du fond du cœur les payeurs de taxes. Je suis retraité et je me cherche une «job» de sénateur. Quatre-vingts ans, est-ce trop vieux ?

Les syndicats

À mon humble avis, ils devraient aller jusqu'au bout de leur mission, qui est non seulement de revendiquer, mais aussi de diriger leurs propres entreprises, la construction entre autres.

Dans la fonction publique, il leur faudrait des représentants parmi les administrateurs; ainsi, nous aurions l'heure juste.

Ils feraient bien aussi de réviser certains dogmes, tels que l'ancienneté, qui n'est pas toujours synonyme de mérite ni de compétence, et éviter de faire un robot d'un travailleur, car un homme normal est polyvalent par nécessité.

Comme l'oiseau est fait pour voler, l'homme est fait pour travailler, par nécessité ou par plaisir. Dans mon cas, c'était pour ces deux raisons, actuellement, c'est pour la deuxième.

Malheureusement ou heureusement, selon le point de vue, le plein emploi, surtout aujourd'hui, est une utopie. Dans une

LE P'TIT LAROUSSE

— C'EST ENCORE LUI QU'EST ARRIVÉ PREMIER…

démocratie évoluée, c'est même l'antithèse du progrès. Dans notre milieu et à notre époque, l'être humain ne s'est pas encore adapté à cette réalité. Le chômage, loin d'être un loisir, est vécu comme une catastrophe.

Un système monétaire d'une époque révolue paralyse les activités et retarde les projets de société. Les déficits gouvernementaux qui dépassent l'imagination la plus délirante, en temps de paix par surcroît, sont une insulte au génie humain et aux payeurs de taxes. Les aberrations sont monnaie courante. Nos jardiniers et nos pomiculteurs doivent importer de la main-d'œuvre étrangère pour faire leurs récoltes, alors que nous avons une «surabondance» d'assistés sociaux.

Les syndicats ont d'énormes défis à relever. S'ils veulent le bien du peuple, ils devront trouver des solutions à ces problèmes et en faire bénéficier tous les citoyens. Et ils ne devront pas trop se fier au gouvernement pour ces travaux de longue haleine parce qu'un gouvernement, c'est éphémère, c'est peuplé d'ambitieux et d'aventuriers qui pensent à court terme, et surtout à eux; pensons par exemple à nos «chers» sénateurs. En outre, le devoir des syndicats sera de harceler ceux qui gouvernent, c'est l'unique façon de les faire bouger.

Nous avons un pays qui n'a rien à envier aux autres en fait de ressources et nous avons aussi la matière grise pour le faire fonctionner. Les Québécois ne manquent ni de talent, ni d'imagination, ni d'audace; ils n'ont plus à en faire la preuve.

À mon avis, la multiplication des P.M.E. et des coopératives sera toujours préférable aux grosses sociétés qui, lorsqu'elles craquent, ébranlent des secteurs entiers de l'économie.

Si je puis me permettre un dernier conseil, évitez autant que possible de confier des responsabilités à la fonction publique. Croyez-en mon expérience, c'est compliqué et ça coûte terriblement cher.

Et, pour finir, je vais vous faire une confidence : je suis allergique aux taxes.

Métro . p96

Loi 1001 91